Y CWPAN
CORS-SNORCLO

Y CWPAN CORS-SNORCLO

SIÂN LEWIS

Lluniau
HELEN FLOOK

Gomer

Cyhoeddwyd gyntaf yn 2014 gan
Wasg Gomer, Llandysul, Ceredigion, SA44 4JL.
www.gomer.co.uk

ISBN 978 1 84851 719 6

Cyhoeddwyd gyda chefnogaeth Llywodraeth Cynulliad Cymru.

Argraffwyd a rhwymwyd yng Nghymru gan
Wasg Gomer, Llandysul, Ceredigion.

Dad

Mam

Fel

Twmcyn

Eth

Heilyn a Hopcyn

Tal Slip

Angelbert

Crafydd ap Burum

Llywela

Wag

Diwrnod Sblash-tastig!

Rwyt ti'n cofio'r diwrnod cyffrous hwn, yn dwyt? Dwy flynedd yn ôl oedd hi, a phobl drwy'r byd i gyd yn eistedd o flaen eu setiau teledu. Pawb yn cnoi eu hewinedd wrth wylio dyn o'r enw Lotto Sblashi'n codi ar ei draed mewn gwesty yn Sydney, Awstralia.

'Mae pwyllgor Cymdeithas Cors-snorclo'r Byd wedi penderfynu ymhle y bydd y Cwpan Cors-snorclo nesaf yn cael ei gynnal,' meddai Lotto'n araf ac yn bwysig. 'Ac mae'n bleser gen i, fel llywydd y Gymdeithas, gyhoeddi mai'r lle hwnnw yw . . .'

Ffrwydrodd Cymru gyfan mewn bloedd o hapusrwydd.

Am ddiwrnod gwych!

HWRÊÊÊÊÊÊÊÊÊÊÊÊÊÊÊ!

IA-HWWWWWWWWW!

IIIIIIIIIIIP-ÎÎÎÎÎÎÎÎÎÎÎÎÎÎÎ!

Wyt ti'n cofio'r holl ddathliadau – y tân gwyllt, a'r dawnsio yn y stryd?

O-o! Dwyt ti ddim yn cofio!

Yn amlwg dwyt ti'n deall dim am gors-snorclo, felly byddai'n well i ti ddarllen y llyfryn bach handi hwn ar unwaith.

Cors-snorclo i Ddechreuwyr

Beth yw cors-snorclo?
Cors-snorclo ywr gampo nofio mewn cors drwy gicio'r traed.

Beth yw cors?
Lle gwlyb yn llawn o fwd a dŵr brwnt.

Pa offer sydd eu hangen ar gors-snorclwyr?
Siorts neu wisg nofio, snorcel, gogls a ffliperi. Mae rhai pobl yn gwisgo siwtiau rwber a chapiau nofio, ond dyw'r rheiny ddim yn orfodol.

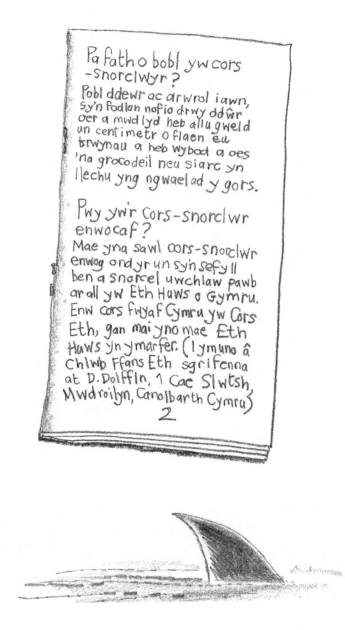

Pa fath o bobl yw cors
-snorclwyr?

Pobl ddewr ac arwrol iawn,
sy'n fodlon nofio drwy ddŵr
oer a mwdlyd heb allu gweld
un centimetr o flaen eu
trwynau a heb wybod a oes
'na grocodeil neu siarc yn
llechu yng ngwaelad y gors.

Pwy yw'r cors-snorclwr
enwocaf?

Mae yna sawl cors-snorclwr
enwog ond yr un sy'n sefyll
ben a snorcel uwchlaw pawb
arall yw Eth Huws o Gymru.
Enw cors fwyaf Cymru yw Cors
Eth, gan mai yno mae Eth
Huws yn ymarfer. (I ymuno â
Chlwb Ffans Eth sgrifenna
at D. Dolffin, 1 Cae Slwtsh,
Mwdroilyn, Canolbarth Cymru)

2

Ffantastig!

Roedd Fel (enw llawn: Felfor Angharad Rhonabwy) a'i ffrind Twmcyn wedi dilyn cors-snorclo er pan oedden nhw yn yr ysgol feithrin, ac yn aelodau brwd o Glwb Ffans Eth. Felly fe alli di ddychmygu pa mor hapus oedd y ddau pan glywson nhw fod  Cwpan Cors-snorclo'r Byd yn dod i Gymru. Roedden nhw'n fwy cyffrous fyth pan sylweddolon nhw fod y gystadleuaeth yn cael ei chynnal yng Nghors Eth – yr union fan lle'r oedd Eth Huws, eu harwres, yn ymarfer.

Roedd y ddau wrth eu boddau. Allen nhw ddim aros! Roedden nhw'n cyfri'r dyddiau. Ers y diwrnod sblash-tastig hwnnw pan gyhoeddwyd fod y Cwpan yn dod i Gymru, roedd Fel a Twmcyn wedi gwario pob ceiniog o'u harian poced ar swfenîrs cors-snorclaidd.

Roedden nhw wedi prynu crysau-T *Cwpan Cors-Snorclo'r Byd, Cymru.*

Roedden nhw wedi prynu'r bathodynnau.

Roedden nhw wedi prynu mygiau, modelau, teganau a phosteri.

Ac, yn bwysicach na'r cyfan, roedden nhw wedi prynu Albwm Sticeri bob un.

Roedd Fel – gan ddefnyddio'i harian pen-blwydd a Nadolig – wedi prynu sied i gadw'i holl swfenîrs ynddi. Am sied wych! Roedd posteri dros y waliau, ac amserlen y cystadlaethau'n hongian y tu ôl i'r drws. Roedd y mygiau a'r modelau a'r teganau ar y silffoedd, ac o dan glo yn nrôr y ddesg yng nghanol y sied roedd yr Albwm Sticeri.

Roedd yr albwm dan glo, rhag ofn i rywun ei ddwyn. Roedd e'n albwm gwerthfawr. Ynddo roedd lle i 160 o sticeri, a byddai pwy bynnag oedd yn casglu pob un o'r 160 sticer yn cael cyfle i ennill gwobr ffantastig, sef *Gwobr Pryd-Eth*. Ar ôl y dyddiad cau fe gâi pob albwm llawn ei roi mewn sach enfawr, a byddai Eth Huws ei hun yn tynnu tri albwm allan. Y wobr i'r tri enillydd lwcus oedd pryd o fwyd yng nghwmni'r gors-snorclwraig fyd-enwog.

Am wobr mega-anhygoel! 'Sdim rhyfedd bod Fel a Twmcyn wedi gwario ffortiwn ar sticeri. Meddylia am gael pryd o fwyd yng nghwmni person mor eithriadol o bwysig ag Eth!

Nawr, falle dy fod ti'n crafu dy ben fan hyn ac yn mwmian yn dawel bach, 'Eth Huws? Dwi ddim yn cofio'i gweld hi erioed.' A falle dy fod ti'n methu cofio sut un yw Eth. Wel, paid â phoeni. Nid ti yw'r unig un. Gan fod Eth Huws yn ymarfer mor galed, dyw hi bron byth yn dod allan o'r gors. Felly erbyn hyn does **NEB** yn gwybod sut un yw hi go iawn.

Dyma i ti, er enghraifft, y poster enwog o Eth Huws sy gan Fel ar wal ei sied:

A dyma lun o Snorkelling Matilda, pencampwraig Awstralia, sy'n hongian yn ei ymyl:

Weli di'r gwahaniaeth rhwng y ddwy? Paid â chael siom os na fedri di. Unwaith y byddi di'n ffan go iawn o gors-snorclo, fe fyddi di'n adnabod Eth yn syth. (Cliw: mae patrwm y bybls sy'n dilyn Eth yn dangos ei bod hi'n symud yn gyflymach o lawer na Snorkelling Matilda, ac mae ongl ei snorcel yn dangos ei bod hi'n fwy penderfynol.)

Ond er bod Fel a Twmcyn yn gallu adnabod Eth yn y dŵr, fydden nhw ddim yn gallu'i hadnabod hi ar dir sych. Fyddai hyd yn oed ei mam a'i thad ddim yn siŵr iawn ohoni erbyn hyn, gan ei bod hi'n treulio'i hamser i gyd yn y gors. Dyna pam roedd *Gwobr Pryd-Eth* yn wobr mor anhygoel. Cyfle prin i gwrdd ag Eth Huws wyneb yn wyneb! 'Sdim rhyfedd bod biliynau a thriliynau o sticeri wedi cael eu gwerthu dros y byd i gyd!

Ers dwy flynedd gron roedd Fel a Twmcyn, fel pob ffan arall, wedi breuddwydio am ennill y wobr anhygoel hon. Roedd y ddau wedi prynu pentyrrau o sticeri, wedi cyfnewid â'u ffrindiau, ac wedi llenwi'r blychau o un i un.

Erbyn hyn dim ond pum blwch gwag oedd yn y ddau albwm.

Roedd Twmcyn yn cadw'i albwm e o dan fatras ei wely. Byddai Fel wedi gwneud 'run fath, oni bai bod ganddi ddau frawd bach. Er mai dim ond deg mis oed oedd yr efeilliaid, Heilyn a Hopcyn, roedden nhw'n bencampwyr ar gnoi a rhwygo. Doedd Fel ddim eisiau iddyn nhw fynd yn agos at ei halbwm gwerthfawr, a dyna pam roedd hi wedi prynu'r sied.

Dim ond un person arall oedd yn cael mynd i mewn i'r sied, a Twmcyn oedd hwnnw. Roedd Fel yn gwybod na fyddai Twmcyn byth bythoedd yn gwneud niwed i'r casgliad sticeri – wel, ddim yn fwriadol beth bynnag. Ond gwell symud ymlaen . . .

Ta-ta stic

Bore dydd Sadwrn oedd hi, dri mis union cyn cychwyn cystadleuaeth Cwpan Corssnorclo'r Byd, ac wythnos cyn dyddiad cau *Gwobr Pryd-Eth*. Am awr gyfan roedd Fel wedi bod yn aros  am y postmon, ei thrwyn yn sownd wrth ffenest stafell ffrynt ei chartref. Erbyn i'r fan goch ddod rownd y gornel, roedd ei thrwyn bron mor fflat â chrempogen, a gorfod iddi ei wasgu'n ôl i'w siâp cyn gwibio drwy'r drws a rhedeg at y gât.

'Disgwyl llythyr pwysig wyt ti, Felfor Angharad?' galwodd Gweneira'r postmon wrth agor cefn y fan.

'**Ydw, ydw, ydw!**' meddai Fel gan sboncio fel broga. Roedd

Gweneira'n annwyl iawn, ond doedd hi ddim yn credu mewn symud yn gyflym. Hi oedd y postmon ail orau yn y byd, ym marn Fel. Y postmon gorau yn y byd oedd ei thad, Rhoj (enw llawn: Rhonabwy O'Landaf Jones) a oedd ar hyn o bryd yn swatio yn ei wely. Doedd e ddim yn gweithio'r dydd Sadwrn hwnnw, ac yn gwneud ei orau glas i gysgu er bod Fel yn gweiddi o dan ei ffenest.

'Wel, rwyt ti'n lwcus,' meddai Gweneira, gan estyn amlen fawr wen i Fel.

Y? Syllodd Fel ar yr amlen. Doedd hi ddim yn lwcus o gwbl! Enw'i thad oedd ar yr amlen. Roedd hi'n disgwyl amlen arbennig iddi hi'i hun, yn cynnwys deg sticer! Roedd hi wedi archebu pum sticer ar ei chyfer hi'i hun, a phump ar gyfer Twmcyn. Roedd y sticeri'n ddrud iawn, ond ta waeth am hynny. Roedd eu hangen arni hi a Twmcyn ar frys gwyllt.

''Sdim byd arall?' crawciodd.

'Oes, mae 'na gwpwl o bethau eraill hefyd,' meddai Gweneira a tharo pentwr o amlenni yn ei llaw. 'Dweda "Ardderchog!" wrth dy dad, ocê?' sibrydodd yng nghlust Fel.

Chlywodd Fel 'run gair. Roedd hi'n rhy brysur yn bodio'r amlenni. **A!** Neidiodd ei chalon. Yng nghanol y pentwr roedd amlen â'i henw hi arno. Uwchben ei henw roedd logo Cwpan Cors-snorclo'r Byd.

'**TWMCYN!**' rhuodd.

Roedd Twmcyn drws nesaf, yn bwyta'i frecwast, ac er ei fod e'n crensian ei fwyd ac yn gwylio'r teledu ar yr un pryd, fe glywodd lais Fel yn glir. Fel arfer fe fyddai wedi mynd i guddio yn ei stafell, ond y bore hwn fe neidiodd i fyny ar unwaith gan adael ei fwyd ar ei hanner. Cydiodd yn ei albwm sticeri a rhedeg i dŷ Fel.

Roedd drws ffrynt y tŷ ar agor. Carlamodd Twmcyn drwyddo a sgidio ar bentwr o amlenni oedd yn gorwedd ar lawr. Ar ben y pentwr roedd amlen wen ag enw tad Fel – Rhonabwy O'Landaf Jones – arni mewn sgrifen gain. Llithrodd yr amlen o dan droed Twmcyn a diflannu o dan y cwpwrdd. Dyna lle byddai hi am oriau nes i un o frodyr bach Fel gripian o dan y cwpwrdd a dechrau ei chnoi.

Doedd dim sôn am Fel yn unman.

'Ble mae hi?' gwaeddodd Twmcyn.

'Yn y sied!' atebodd Jen, mam Fel.

'**WAAAAAAA!**' gwaeddodd Heilyn a Hopcyn, oedd wedi cael braw wrth glywed y fath sŵn.

'**Yyyyyyyyyyyy**,' ochneidiodd tad Fel, a llusgo'i hun o'r gwely.

Rhedodd Twmcyn allan i'r ardd, ei lygaid yn disgleirio a gwên fawr ar ei wyneb. Yn y sied roedd pum sticer yn disgwyl amdano. Cyn hir byddai ei albwm yn llawn!

Allai Twmcyn ddim aros! Drwy ddrws agored y sied gwelodd Fel yn tynnu sticeri o'r amlen a'u gosod ar ei desg. Rhedodd tuag ati, mor llon ag aderyn bach. Yn anffodus, wrth i Twmcyn ruthro fel corwynt drwy ddrws y sied, fe hedfanodd y deg sticer fel adar bach hefyd. Fe godon nhw'n grwn o'r ddesg a dianc dros ei ben i'r awyr agored.

mETHiant!

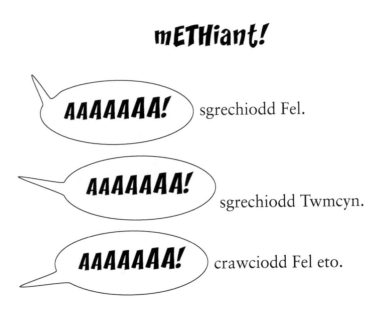

AAAAAAA! sgrechiodd Fel.

AAAAAAA! sgrechiodd Twmcyn.

AAAAAAA! crawciodd Fel eto.

Roedd awel gref wedi cipio'r deg sticer gan eu chwyrlïo uwch eu pennau. 'Dalia nhw!' gwaeddodd Fel.

Trodd Twmcyn fel top a hyrddio'i hun ar draws yr ardd. Rhuthrodd Fel ar ei ôl. Fe neidion nhw fel dau gangarŵ gwallgo – neidio fan hyn a fan draw. Gwasgu letys Rhoj yn fflat. Crafu eu coesau ar y coed rhosod.

Ymhen rhai munudau, roedd Twmcyn wedi dal pump o'r sticeri, a Fel wedi dal pedwar. Naw o sticeri i gyd. Roedd un ar ôl! Roedd yr un sticer hwnnw'n hedfan dros y ffens ac yn anelu am y binwydden fawr yng nghornel gardd Twmcyn. Pe bai'r sticer wedi glynu wrth y brigau, mi fyddai Fel a Twmcyn wedi dringo fel gwiwerod a'i achub. Ond wnaeth y sticer ddim sticio – hedfanodd yn ei flaen. Neidiodd Fel a Twmcyn dros y ffens, a rhedeg ar draws yr ardd a thros yr ardd drws nesa. Ond roedd y sticer yn symud yn gyflymach na nhw. Cyn hir, doedd e'n ddim byd ond smotyn bach yn yr awyr. Erbyn iddyn nhw redeg ar draws chwe gardd, roedd y sticer wedi diflannu'n llwyr.

'Ddylet ti ddim fod wedi rhedeg i mewn i'r sied,' meddai Fel mewn llais bach.

'Ddylet ti ddim fod wedi agor yr amlen cyn i fi gyrraedd,' meddai Twmcyn mewn llais crynedig.

Ochneidiodd y ddau a throi am adre, gan gripian ar draws y gerddi i'r sied, a'u stumogau'n corddi.

Roedd dyddiad cau *Gwobr Pryd-Eth* bron â chyrraedd. Doedd ganddyn nhw ddim amser i archebu sticer arall. Dim ond **UN** ohonyn nhw, felly, fyddai'n gallu cystadlu am *Wobr Pryd-Eth*.

Ond pa un?

Yn dawel bach, caeodd Fel ddrws y sied. Agorodd Twmcyn ei ddwrn a gollwng pum sticer ar y ddesg. Gollyngodd Fel y pedwar sticer arall. Agorodd Twmcyn ei albwm. Tynnodd Fel ei halbwm hithau o'r drôr. Ddywedodd neb yr un gair, ond roedd eu calonnau'n curo'n galed.

Gwyddai Twmcyn pa sticeri oedd eu hangen arno fe, sef:

Rhif 25: Torpedo Tyson, hyfforddwr tîm yr Unol Daleithiau

Rhif 47: Mw Min, capten tîm y Ffindir

Rhif 98: Simon MycSlic, pencampwr sbrint yr Alban

Rhif 113: Jane Rooney, hyfforddwraig tîm Lloegr

Rhif 127: Dana Dwrofsga, aelod o dîm ras gyfnewid Rwsia

Gwibiodd llygaid Twmcyn dros y sticeri ar y bwrdd. Llyncodd yn galed.

Roedd Fel hefyd yn gwybod pa sticeri oedd eu hangen arni hi, sef:

Rhif 11: Barth Olomwd, pencampwr Twrci

Rhif 31: Bela Mwdela, pencampwraig De Affrica dros bellter o filltir

Rhif 84: Hasta Lafista, hyfforddwraig tîm Mecsico

Rhif 135: Su Zuki, capten tîm Japan

Rhif 160: Eth . . .

Llyncodd Fel ei phoer. Gwibiodd ei llygaid dros y sticeri ar y bwrdd, ond doedd llun Eth Huws, seren Cymru, ddim yno. Yr union lun hwnnw oedd wedi hedfan i ffwrdd dros y coed!

Edrychodd Fel a Twmcyn ar ei gilydd.

Druan â Fel! meddyliodd Twmcyn. *Fydd hi ddim yn gallu llenwi'i halbwm. Fydd hi ddim yn gallu rhoi cynnig ar y gystadleuaeth!*

'Os na alli di lenwi dy albwm di, wna inne ddim rhoi cynnig ar y gystadleuaeth chwaith,' meddai Twmcyn yn ddewr.

'Mae'n *rhaid* i ti,' meddai Fel yn swta gan gydio yn y lluniau o Bela, Hasta, Barth a Su a'u gludo yn ei halbwm.

Syllodd ar yr un sgwâr gwag, a snwffio'n galed, achos doedd hi ddim eisiau crio o flaen Twmcyn. 'Mae'n rhaid i ti, achos os enilli di, fe alli di ofyn i Eth am ei llofnod.'

'A'i roi e i ti?' meddai Twmcyn.

'Ie,' meddai Fel.

'O, ocê 'te,' meddai Twmcyn. 'Fe ro i gynnig arni – er dy fwyn di.' Yn dawel ac yn lletchwith, estynnodd am y pum sticer oedd ar ôl ar y ford a'u gludo yn ei albwm. Roedd ei albwm bellach yn llawn.

Cerddodd Twmcyn allan o'r sied a'r albwm o dan ei fraich. Cyn gynted ag yr aeth e o'r golwg, fe bwniodd yr awyr yn hapus. Rhedodd adre fel milgi, sgrifennu ei enw a'i gyfeiriad ar yr albwm, ei roi mewn amlen a mynd ar ei union i'w bostio.

Gwyliodd Fel e'n mynd. Roedd ei chalon bron â thorri.

Hwrê

Roedd pawb yn teimlo trueni dros Fel ac yn gwneud eu gorau glas i godi'i chalon. Aeth Mam ati'n syth i bobi cacen iddi, gan ei haddurno ag eisin lliw mwd, a phlannu snorcel a phâr o ffliperi yn yr eisin. Er ei bod hi'n gacen hynod flasus, roedd Fel bron â thagu wrth ei bwyta.

Pan oedd Twmcyn yn postio'i amlen yn y swyddfa bost ar gornel y stryd, fe brynodd fodel clocwedd o Eth i Fel. Ar ôl weindio'r allwedd, roedd y model yn cicio'i choesau ac yn rholio dros y llawr.

Diolchodd Fel yn gynnes am y model, ond yn ddistaw bach allai hi ddim edrych ar yr Eth fach glocwedd heb deimlo'r dagrau'n cronni yn ei llygaid. Roedd Heilyn a Hopcyn, ar y llaw arall, wrth eu boddau a'r ddau'n trio cropian ar ras ar ôl y tegan bach. Pan wibiodd y model o Eth allan i'r cyntedd a diflannu o dan y cwpwrdd, stryffaglodd y ddau fach ar ei hôl. Estynnodd Hopcyn ei law o dan y cwpwrdd a thynnu amlen wen allan. Edrychodd arni'n syn a dechrau cnoi.

'Hop, ble cest ti'r amlen 'na?' meddai Mam. 'Rho hi i fi.'

Plyciodd Mam yr amlen o law Hopcyn. Sgrechiodd Hopcyn. Sgrechiodd Mam hefyd. Roedd hi newydd sylwi ar yr enw ar yr amlen – Rhonabwy O'Landaf Jones – mewn sgrifen gain!

'Rhoj!' gwaeddodd Mam. 'Mae amlen i ti fan hyn!' A chan neidio dros ei dau fabi, rhedodd Mam i'r stydi.

Yn y stydi roedd Rhoj yn cyfansoddi barddoniaeth.
Yn ogystal â bod yn bostmon, roedd e hefyd yn fardd. Roedd e ar ganol sgrifennu cerdd hyfryd iawn o'r enw *Tawel Ffos*, pan glywodd y sgrechiadau'n dod o'r stafell fyw.

Snwffiodd Rhoj yn ddiamynedd a meddwl tybed a ddylai e brynu sied iddo fe'i hun a'i gosod mewn lle tawel lle câi heddwch a llonydd. Felly, gwgu wnaeth Rhoj pan ruthrodd ei wraig drwy'r drws.

Diflannodd yr wg ar unwaith pan welodd e'r amlen yn ei llaw. Roedd Rhoj wedi breuddwydio ers tro byd am gael amlen fel hon. Â'i ddwylo'n crynu, agorodd hi a darllen y llythyr.

Cymdeithas Cors-snorclo'r Byd

Annwyl Mr Rhonabwy O'Landaf Jones,

Ar ran Cymdeithas Cors-snorclo'r Byd, mae'n
bleser gen i eich gwahodd i gyfansoddi cerdd o groeso
i gystadleuwyr a gwylwyr Cwpan Cors-snorclo'r Byd
a gynhelir yng Nghors Eth, Canolbarth Cymru, ar Awst y
cyntaf eleni. Disgwylir i chi ddarllen eich cerdd yn y
seremoni agoriadol.

Gan obeithio clywed oddi wrthych yn fuan.

Yr eiddoch yn gywir,

Lotto Sblashi

Llywydd, Cymdeithas Cors-snorclo'r Byd.

O.N. Hoffwn hefyd eich gwahodd chi a'ch teulu
i gael pryd o fwyd yng nghwmni Eth Huws,
pencampwraig cors-snorclo Cymru.

'**WAAAA-WI!**' Am unwaith, roedd Rhoj yn
fwy swnllyd na neb. 'O, gwych! O, ffantastig!
Ooooooo!' Cydiodd ym mreichiau ei wraig a
dawnsio rownd y stydi. 'Bydd miliynau o
bobl yn gwylio'r seremoni agoriadol. Byddan
nhw'n clywed fy marddoniaeth i! Bydda i'n
fyd-enwog!'

'O, dwi mor falch!' llefodd Jen, a rhoi clamp
o gusan ar ei wyneb coch.

'**O, iych!**' meddai Fel. Roedd hi'n sefyll wrth y drws a'r ddau fabi yn ei breichiau.

'Mae Dad wedi cael gwahoddiad i sgrifennu cerdd o groeso ar gyfer seremoni agoriadol y Cwpan Cors-snorclo!' gwichiodd Mam gan ddal i neidio a dawnsio.

'**BE?**' gwaeddodd Fel.

'Ac mae 'na wahoddiad i'r teulu i gyd gael pryd o fwyd yng nghwmni Eth!' bloeddiodd Dad gan chwifio'r llythyr yn yr awyr.

'**BEEEEEE?**' Rhuthrodd y gair o geg Fel fel trên o dwnnel, ac oni bai bod yr efeilliaid yn cydio'n dynn yn ei gwallt, fe fyddai wedi eu gollwng mewn sioc. '**WAW–IIIIII!**' gwaeddodd wrth iddi hi a Heilyn a Hopcyn ymuno yn y ddawns hapus, wyllt.

Ac yna . . .

FFLOP!

Suddodd Rhonabwy O'Landaf Jones i mewn i'w gadair a'i ben yn ei ddwylo.

'Wrth gwrs, alla i ddim derbyn y gwahoddiad,' crawciodd.

FFLOP!

Suddodd pawb arall hefyd.

Pam?

Nawr, pam yn y byd y byddai unrhyw un yn gwrthod gwahoddiad i gyfansoddi cerdd ar gyfer seremoni agoriadol Cwpan Cors-snorclo'r Byd? Pam y byddai Rhoj yn gwrthod y fath fraint?

Mae'r ateb i'r cwestiynau hyn mewn llyfr o'r enw *Cawl Bys*. Os nad wyt ti wedi darllen y llyfr hwnnw, fe wna i egluro i ti mewn wyth pwynt.

1. Mae Rhoj yn fardd arbennig o dda.

2. Am ei fod e mor dda, mae ganddo elynion, sef beirdd eraill sy'n eiddigeddus ohono, ac yn ei gasáu. Enw'r beirdd hyn yw 'Y Coginfeirdd' neu 'Y Cogs'.

3. Mae'r Cogs yn byw ar ynys fechan yng nghanol Cors Eth, sef yr union gors lle cynhelir cystadleuaeth Cwpan Cors-snorclo'r Byd.

4. Dianc i'r ynys cyn i'r heddlu eu dal wnaeth y Cogs. Flynyddoedd yn ôl fe wnaethon nhw gyfres o raglenni teledu, lle roedden nhw'n arfer coginio bwyd a barddoni ar yr un pryd. Roedd y bwyd yn afiach, a chafodd llawer o bobl eu gwenwyno.

5. Mae'r Cogs erbyn hyn yn beryglus dros ben. Yn fwy peryglus na tharantwla! Yn fwy peryglus na haid o lewod! Ar ôl bwyta'u bwyd eu hunain am flynyddoedd fe drodd y Cogs yn ddihirod erchyll a milain. (Os nad wyt ti'n credu, edrych ar y dudalen nesaf.)

RHYBUDD

Os wyt ti'n teimlo'n wan neu'n sâl, paid ag edrych.

Y Coginfeirdd

Pennaeth y Cogs a phedwar o'i swyddogion

Wyt ti'n deall nawr pam bod yn rhaid i Rhoj wrthod y gwahoddiad? Neu falle nad wyt ti. Falle dy fod ti'n dweud wrthot ti dy hun:

'**Hy!** Hen fabi ydy Rhonabwy O'Landaf Jones. Dim ots pa mor beryglus ydy'r Cogs, fyddwn i ddim yn gwrthod y gwahoddiad.'

Iawn, ond dwyt ti ddim wedi clywed yr hanes i gyd eto.

Fe alla i dy sicrhau di nad yw Rhoj (Rhonabwy O. Jones) yn llwfr. Dyw e ddim yn gachgi. Poeni am ei ferch mae e.

6. Pan oedd Fel yn fabi bach, roedd pennaeth y Cogs – Tal Slip – wedi bwrw swyn arni.

7. O achos y swyn roedd Fel mewn perygl eithriadol.

8. Dyna pam roedd Rhoj yn gwrthod mynd i Gors Eth.

Nawr wyt ti'n deall?

0-o! Dwyt ti ddim. Rwyt ti eisiau gwybod mwy am y swyn, yn dwyt ti?

Y Swyn

Sut byddet ti'n teimlo petai dy chwaer/brawd/
ffrind gorau yn troi'n domato?

Neu'n het?

Neu'n goes brwsh?

Fyddet ti ddim yn hapus, dwi'n siŵr.

Ond dyna'n union beth allai ddigwydd i Fel,
o achos y swyn. Bob tro mae hi'n clywed
cymhariaeth yn dechrau â'r gair 'fel', mae hi'n
newid ei siâp.

Felly, os yw Fel yn clywed rhywun yn dweud wrthi, '**Rwyt ti'n goch fel tomato**,' mae hi'n troi'n domato, ac yn aros yn domato am hanner munud neu fwy. Os yw hi'n clywed y geiriau, '**Rwyt ti fel het**,' mae hi'n troi'n het.

Drwy lwc, mae Fel yn gwisgo plygiau arbennig yn ei chlustiau. (Os edrychi di ar lun Fel, fe weli di'r plygiau.) Mae'r plygiau'n llyncu'r gair 'fel', felly dyw Fel byth yn ei glywed. Os ydy'r plygiau yn ei chlustiau, mae hi'n hollol ddiogel.

Ond beth petai'r Cogs yn cael gafael arni? Beth petaen nhw'n tynnu'r plygiau allan o'i chlustiau er mwyn sbeitio Rhoj? Alli di ddychmygu unrhyw beth mwy peryglus? Petai Fel yn troi'n domato, fe allai gael ei bwyta. Petai hi'n troi'n het, fe allai gael ei chwythu i ffwrdd gan y gwynt.

Felly, doedd dim dewis gan Rhoj ond gwrthod y gwahoddiad i ddarllen ei gerdd yn y seremoni agoriadol o fewn tafliad carreg i gartre'r Cogs. Cytuno?

Wel, efallai dy fod ti'n cytuno, ond doedd Fel ei hun ddim.

llefodd Fel, a'i llais yn swnio fel llif drydan yn llifio drwy goedwig fetel. **'Daaaaaaaaaad!** Alli di ddim gwrthod!'

41

'Dadadadawaaaaaaaaa!'

sgrechiodd Heilyn.

'Waaaaaaaaaadadada!'

sgrechiodd Hopcyn.

'Daaaaaaaaaaaad!'

llefodd Fel eto, a gollwng y ddau fabi ar y carped. 'Dad, alli di ddim!'

Cododd Rhoj ar ei draed. Edrychai'n welw, ond yn benderfynol. 'Mae'n rhaid i mi wrthod,' meddai. 'Mae'n rhy beryglus. Mae'r Cogs yn byw ar yr ynys fechan yng nghanol Cors Eth. Allwn ni ddim mentro mynd yn agos.'

'Ond pam?' llefodd Fel, er ei bod hi'n gwybod yn iawn. 'Dwyt ti ddim yn ofni'r Cogs, nag wyt ti? Bydd camerâu teledu pob gwlad yn y byd yn ffilmio'r Cwpan Cors-snorclo. Chaiff y

Cogs ddim cyfle i wneud drwg i neb. Wnaiff Cymdeithas Cors-snorclo'r Byd ddim gadael iddyn nhw fynd yn agos at y cystadleuwyr.'

'Falle bod Fel yn iawn,' meddai Mam yn eiddgar. Yn ddistaw bach, roedd Mam yn torri'i bol eisiau i Rhoj gymryd rhan.

'Wrth gwrs 'mod i'n iawn,' meddai Fel. 'Ond os nad y'ch chi'n credu, ffoniwch Swyddfa Cymru, Cwpan Cors-snorclo'r Byd a holi'r trefnydd.' Estynnodd Fel am y ffôn a'i roi yn llaw ei mam.

Tawodd pawb, hyd yn oed y ddau fabi, a gwylio Jen Jones yn deialu rhif Swyddfa Cymru.

'Prynhawn da. Good afternoon. Bonjour. Buongiorno. G'd day . . .' meddai'r dyn serchog ar ben arall y lein. Ar ôl iddo gyrraedd y 47fed iaith, torrodd Mam ar ei draws yn ddigywilydd braidd a gweiddi, 'Prynhawn da!'

'Prynhawn da. Cefin ydw i, trefnydd Swyddfa Cymru, Cwpan Cors-snorclo'r Byd.

43

Sut alla i'ch helpu chi?' gofynnodd y dyn serchog.

'Eisiau holi ynglŷn â diogelwch pawb sy'n cymryd rhan yng Nghwpan Cors-snorclo'r Byd ydw i,' meddai Mam.

'Rydyn ni wedi gwneud trefniadau manwl iawn, a bydd pawb yn berffaith ddiogel,' meddai Cefin yn llon.

'Ond beth am yr ynys fechan yng nghanol Cors Eth?' gofynnodd Mam.

'*Ieeeeeeee?* Beth amdani?' meddai Cefin.

Yn sydyn, doedd e ddim yn swnio mor llon. Pe bai Mam yn ddigon craff, fe fyddai wedi sylwi ar hynny, ond roedd pen Mam yn troi ar ôl holl gyffro'r prynhawn, felly sylwodd hi ddim.

'D . . . Dim ond eisiau gofyn o'n i beth fydd yn digwydd i drigolion yr ynys yn ystod cystadleuaeth Cwpan Cors-snorclo'r Byd,' meddai Mam.

'Madam, does dim rhaid i chi boeni o gwbl. Byddan nhw'n **HOLLOL** ddiogel,' pwysleisiodd Cefin.

Pe bai Mam yn ddigon craff, fe fyddai wedi sylwi ei fod e'n swnio'n rhy serchog – yn ffals, hyd yn oed – ond wnaeth hi ddim, gan fod ei phen yn dal i droi.

Ar ben arall y lein – yn Swyddfa Cymru, Cwpan Cors-snorclo'r Byd – roedd Cefin yn croesi'i fysedd, ac yn gobeithio na fyddai'r wraig ar y ffôn yn gofyn rhagor o gwestiynau. Y gwir plaen oedd hyn: nid pawb yng Nghymru oedd yn croesawu Cwpan Cors-snorclo'r Byd. Roedd Cefin wedi cael llu o gwynion gan bobl oedd yn poeni am fywyd gwyllt y gors. Roedd rhai wedi bygwth protestio yn y Senedd os byddai dim ond un creadur yn cael ei niweidio gan ffliper neu snorcel.

Felly, pan ffoniodd Mam a holi am 'drigolion yr ynys', roedd Cefin yn meddwl ei bod hi'n sôn am bryfed, malwod, brogaod neu rywbeth tebyg. Feddyliodd e ddim am y Cogs, achos doedd neb yn gwastraffu amser yn meddwl am y rheiny. A phan ddwedodd Cefin, 'Byddan nhw'n **HOLLOL** ddiogel', sôn am bryfed a malwod ac ati oedd e. Ond doedd Mam ddim yn deall hynny wrth iddi orffen yr alwad ffôn â gwên fawr, hapus ar ei hwyneb.

'Mae Cefin wedi dweud bod trigolion yr ynys yn hollol ddiogel,' meddai. 'Felly 'sdim rhaid i ni boeni am y Cogs.'

Tynnodd Fel anadl ddofn. Roedd hi ar fin gweiddi '**Iiiiip–î!**' ond edrychodd ar ei thad, rhag ofn.

Yn ara bach, bach, lledodd gwên falch, obeithiol dros wyneb Rhoj. Pelydrodd y wên fel haul cynnes canol haf.

'Wel, dyna ni 'te,' meddai'n swil. 'Mae'n debyg y gwna i gyfansoddi cerdd wedi'r cyfan.'

'**IIIIIIIIIIIIIIIP–îîîîîîîîîîîîîîîîîîîîîîîîî!**' gwaeddodd Fel. Mynnodd fod Rhoj yn ffonio llywydd Cymdeithas Cors-snorclo'r Byd ar unwaith i gadarnhau ei fod e'n derbyn y gwahoddiad. Wedyn, fe redodd drws nesa i ddweud yr hanes wrth Twmcyn.

'**IIIIIIIIIIIIIIP–îîîîîîîîîîîîîîîîîîîî!**' gwaeddodd hwnnw, er ei fod braidd yn eiddigeddus. Wedi'r cyfan, roedd Fel **YN BENDANT** yn mynd i gael pryd o fwyd yng nghwmni Eth, yn wahanol iddo fe. Châi e ddim pryd o fwyd, os nad oedd e'n ennill y gystadleuaeth.

'Os na enilli di, fe fydda i'n siŵr o gael llofnod Eth yn arbennig i ti,' meddai Fel yn frysiog.

'**IIIIIIIIIIIIIIP–ÎÎÎÎÎÎÎÎÎÎÎÎÎÎÎÎÎ!**' gwaeddodd Twmcyn yn hapus go iawn.

Ond fyddai'r un o'r ddau'n teimlo mor hapus pe baen nhw'n gallu gweld beth oedd yn digwydd yr union funud honno ar yr ynys fechan yng nghanol Cors Eth.

Tywel wel wel!

Wrth i ddyddiad Cwpan Cors-snorclo'r Byd nesáu, roedd cyffro mawr ymhlith trigolion yr ynys fechan. Ond paid â dychmygu am eiliad bod gan Tal Slip, Crafydd ap Burum, Wag, Llywela Llywola, Angelbert Iymi-binc a gweddill y Cogs ddiddordeb mewn cors-snorclo. Dim o gwbl. Yn dawel bach, roedden nhw'n **CASÁU** cors-snorclo a chors-snorclwyr. Roedden nhw'n **CASÁU** Snorkelling Matilda, Torpedo Tyson, Bela Mwdela ac ati – ond, yn fwy na'r un cors-snorclwr arall, roedden nhw'n **CASÁU** Eth Huws.

Roedden nhw'n casáu gweld Eth yn nofio rownd a rownd eu hynys. Roedden nhw'n casáu'r arwyddion bygythiol roedd hi'n eu gosod byth a hefyd ar ymyl y gors.

Y gair '**AFIACH**' oedd yn eu digio fwyaf. Roedd y Cogs yn meddwl mai nhw oedd cogyddion gorau'r byd, a bod eu bwyd nhw bob amser yn *iymi-iymi-iymi*. Petaen nhw wedi gallu dal Eth, mi fydden nhw wedi'i choginio a'i bwyta, er mwyn cael gwared ohoni. Ond er gosod sawl trap, roedd Eth yn llawer rhy gyflym ac roedden nhw wedi methu ei dal hyd yn hyn.

Serch hynny, byth ers clywed am Gwpan Cors-snorclo'r Byd, Cymru, roedd y Cogs wedi gadael llonydd i Eth. Pam? Am fod ganddyn nhw gynlluniau llawer mwy cyffrous ar y gweill.

Roedd y Cogs i gyd yn dal i gofio'r amser braf hwnnw pan oedd ganddyn nhw eu rhaglen goginio'u hunain ar y teledu. Yr amser pan oedden nhw'n fyd-enwog a'r camerâu'n eu dilyn i bobman. Yn ystod Cwpan Cors-snorclo'r Byd, byddai cannoedd o gamerâu'n dod i Gors Eth. Hwn oedd eu cyfle mawr i dynnu sylw'r byd unwaith eto.

Ond sut?

Drwy goginio, wrth gwrs.

Ond nid drwy goginio yn unig.

Hoff beth y Cogs – gwell na choginio hyd yn oed – oedd sgrifennu barddoniaeth. Byth ers iddyn nhw glywed am Gwpan Cors-snorclo'r Byd, breuddwyd pob Cog oedd darllen cerdd o'i waith ei hun yn y seremoni agoriadol.

Ers misoedd lawer roedd Tal Slip, pennaeth y Cogs, wedi bod wrthi'n sgrifennu cerdd arbennig a gwreiddiol iawn. Yn lle sgrifennu am adar neu flodau neu bili-palod neu bethau stiwpid felly, roedd Tal Slip yn sgrifennu cerdd am dywel!

Pan gyrhaeddodd y Cogs yng Nghors Eth am y tro cynta, roedd Tal wedi gweld tywel gwyn fel yr eira a disglair fel yr haul yn gorwedd yn ymyl y ffos oedd yn rhedeg ar draws yr ynys. Roedd y tywel mor bert, fe fachodd Tal e ar unwaith a'i ddefnyddio fel gobennydd.

Yn anffodus, erbyn y bore, roedd y tywel mor frwnt a mochaidd â gwallt y pennaeth ei hun. Ond ta waeth am hynny, doedd Tal erioed wedi anghofio'r tywel hyfryd hwnnw. Roedd pob cors-snorclwr yn defnyddio tywel, felly beth gwell ar gyfer seremoni agoriadol Cwpan Cors-snorclo'r Byd na cherdd o'r enw *Tywel Ffos*? **Waw-i!** Gallai Tal ddychmygu'i hun yn ei ddarllen yn y seremoni agoriadol a phawb drwy'r byd i gyd yn gweiddi '**Encore!**' ac yn curo'u dwylo'n frwd.

Fe ddechreuodd y Cogs eraill gyfansoddi cerddi hefyd, ond chawson nhw ddim cyfle i'w gorffen achos fe gipiodd Tal Slip y papurau o dan eu trwynau, eu rhwygo a'u taflu i ddŵr y gors.

''Sdim pwynt i chi sgrifennu barddoniaeth, achos does gyda chi ddim gobaith cael eich dewis,' meddai Tal wrth y lleill.

'**O!**' protestiodd Angelbert, pan welodd hi ei cherdd wefreiddiol *Mwd, Mwd, Hyfryd Fwd* yn suddo i'r gors. 'Dyw hynna ddim yn de . . .'

'Ddim yn beth?' cyfarthodd Tal Slip, gan hoelio'i lygaid milain arni.

'Ddim yn de . . . de . . . debygol o fod yn broblem,' meddai Angelbert.

'Yn hollol,' meddai Tal gan wenu'n gas.

Gwasgodd Angelbert ei gwefusau'n dynn. Roedd hi'n gwybod yn iawn pam nad oedd Tal yn fodlon gadael iddi sgrifennu cerdd. Achos byddai ei cherdd hi'n llawer gwell na'i gerdd e – dyna pam. Ond ddwedodd Angelbert 'run gair, achos roedd ganddi gyfrinach fach.

Ychydig fisoedd yn ôl, roedd Angelbert wedi gweld fan yn stopio ar lan y gors, a'r postmon yn neidio allan ag amlen drwchus yn ei law. Am chwarter awr a mwy roedd e wedi sefyll yn ymyl y dŵr a gweiddi, 'Eth! Eth! Mae gen i lythyr i ti!' nes colli'i lais. Wedyn, ar ôl methu cael ateb, roedd e wedi gadael yr amlen dan garreg ar y lan. Cyn gynted ag yr aeth y fan o'r golwg, roedd Angelbert wedi rhedeg ar hyd y llwybr oedd yn croesi'r gors, ac wedi cipio'r amlen.

Rhwygodd yr amlen ar agor, a gwichian yn llon wrth weld pecyn mewn bag plastig a'r llythyr hwn:

Cymdeithas Cors-Snorclo'r Byd

Annwyl Eth,

Dyma i ti albwm a 160 o sticeri yn anrheg. Diolch yn fawr iawn i ti am gytuno i dynnu'r wobr ac i gymryd rhan.

Cofion cynnes,
Dy hen ffrind
Lotto Sblash
Llywydd, Cymdeithas Cors-Snorclo'r Byd

Dododd Angelbert y pecyn a'r llythyr yn saff ym mhoced enfawr ei sgert, ond rhwygodd yr amlen yn ddarnau mân a'i thaflu i'r dŵr. Wedyn, fe redodd i guddio yng nghanol llwyn o ddrain lle swatiodd yn hapus braf a rhwygo'r bag plastig ar agor.

O'r bag fe dynnodd albwm a phecyn trwchus o sticeri. **Waw-i!** Doedd hi ddim wedi casglu sticeri er pan oedd hi'n ferch fach o'r enw Betsi

(cyn iddi droi'n fardd a newid ei henw i Angelbert Iymi-binc). Roedd hi wrth ei bodd, a phenderfynodd yn y fan a'r lle y byddai'n cripian i nôl yr albwm bob dydd, pan oedd y Cogs eraill yn chwyrnu cysgu ar ôl cinio, ac yn cael hwyl yn gludo'r sticeri yn yr albwm, hanner dwsin ar y tro.

Sylwodd hi ddim ar y gystadleuaeth am amser hir, achos roedd y manylion ar dudalen gynta'r albwm, o dan lun Eth. Gan fod Angelbert yn casáu Eth, roedd hi wastad yn troi'n gyflym i'r dudalen nesa heb ddarllen gair. Ond, un diwrnod, fe ddigwyddodd hi weld y geiriau 'pryd o fwyd'. Roedd Angelbert yn hoff iawn, iawn o fwyd, ac weithiau, wrth ludo'i sticeri, roedd hi'n hiraethu am y bwyd hen-ffasiwn roedd Mam yn arfer ei baratoi.

Cuddiodd y llun o Eth â'i llaw, a darllen manylion y gystadleuaeth. Am gyffrous! Y wobr i'r enillydd oedd pryd o fwyd, ac roedd Angelbert yn benderfynol o ennill. Felly, heb ddweud gair wrth weddill y Cogs, fe aeth Angelbert ati ar ras i lenwi'r albwm.

Yn anffodus, un diwrnod, roedd hi wedi gosod chwech o sticeri yn eu trefn ar lawr, yn barod i'w gludo, pan ddaeth chwa sydyn o wynt. Mewn chwinciad chwannen chwythwyd y sticeri i mewn i'r gors a diflannodd y cyfan am byth o dan y dŵr.

Nawr, byddai sawl person wedi digalonni – fel y digalonnodd Fel, os wyt ti'n cofio – ond wnaeth Angelbert ddim. Roedd Angelbert, er mai Cog oedd hi, yn graff a dyfeisgar. Roedd hi wedi sylwi bod sawl un o'r sticeri yn debyg iawn, iawn. Ar bob un roedd llun o ddŵr mwdlyd, snorcel a ffliperi. Ychydig iawn o bobl fyddai'n gallu gweld y gwahaniaeth rhwng Fifi La Boue o Ffrainc a Twten Camŵn o'r Aifft, neu rhwng Meical Jones o Batagonia a Ton Ton o Wlad Belg. Felly fe gasglodd Angelbert rai o'r hen ffliperi a snorceli oedd yn gorwedd ar lan Cors Eth a thynnu lluniau ohonyn nhw'n sticio allan o'r dŵr. Argraffodd y lluniau liw nos ar gyfrifiadur Tal Slip, a'u gludo yn ei halbwm. Hawdd!

Ton Ton - Gwlad Belg

Meical Jones - Patagonia

56

Twten Camŵn - Yr Aifft

Fifi La Boue - Ffrainc

Ar y diwrnod arbennig hwn – yr union ddiwrnod pan bostiodd Twmcyn ei albwm e – dim ond un sgwâr oedd gan Angelbert ar ôl i'w lenwi. Tra oedd Tal Slip yn crafu'i ben ac yn trio meddwl am eiriau oedd yn odli â 'tywel', a gweddill y Cogs yn casglu cynhwysion ar gyfer pryd bwyd blasus, fe gripiodd Angelbert i lawr at lan y dŵr â'i chamera yn ei llaw.

Roedd hi wrthi'n trefnu props i dynnu llun ohonyn nhw pan welodd gysgod tebyg i bili-pala'n dawnsio dros y dŵr. Sticer oedd e – yn chwyrlïo drwy'r awyr!

Glaniodd y sticer yn grwn ar ganol pawen Angelbert. **Am lwc!** Dim ots os mai llun E'thriadol-o-salw Huws oedd ar y sticer. Byddai hwn yn llenwi'r blwch gwag oedd ar ôl yn ei halbwm. Â gwên hapus, gludodd y sticer yn ei le a pharatoi i sgrifennu 'Angelbert Iymi-binc' ar y ffurflen gystadlu.

Ond ar ganol sgrifennu'r 'A', fe gofiodd Angelbert ei bod hi a gweddill y Cogs wedi gorfod dianc i'r ynys fechan yng nghanol Cors Eth ar ôl i bobl ddweud celwydd am eu bwyd. Beth petai'r heddlu'n dal i chwilio amdanyn nhw? Beth petai'r Gymdeithas Gors-snorclo'n gwrthod

rhoi'r wobr iddi?

Meddyliodd Angelbert yn galed ac yna, yn lle sgrifennu'i henw llawn, fe sgrifennodd: A I Binc (gydag 'A' flêr ac aneglur iawn) ar yr albwm. Paciodd yr albwm mewn amlen fawr, a rhuthro i'w bostio yn y blwch postio coch ar lan y gors.

Hymiodd yn hapus wrth fynd yn ôl i'r ynys, gan anwybyddu Tal Slip, oedd yn gweiddi'n gas ac yn taflu peli papur i bobman. Gwyddai Angelbert yn iawn pam fod Tal mewn tymer ddrwg. Doedd e ddim yn cael hwyl ar gyfansoddi'i gerdd. Hymiodd Angelbert yn uwch, a mynd i helpu gweddill y Cogs i baratoi swper.

Iymi ... IYCH!

Roedd y Cogs wedi bod wrthi ers sawl diwrnod yn dyfeisio pryd o fwyd arbennig ar gyfer Cwpan Cors-snorclo'r Byd. Gyda lwc, fe fydden nhw'n gallu agor caffi ar yr ynys yn ystod y gystadleuaeth, a gwerthu'r bwyd am bris uchel. Enw'r pryd arbennig oedd Porcl Snorcl.

Dyma flas i ti o'r rysáit:

Porcl Snorcl

Cym'wch ddarn o borcl
A'i lapio am snorcl.
Ychwanegwch ddwy slywen,
Ac ambell falwoden,
Halen a phupur,
A dwy hosan fudur,
Pigau draenogod,
Cynffonnau llwynogod.
Dau far o siocled
A dŵr oer o'r ...

← llwynogod

SIOCLED

ac felly ymlaen.

Roedd pawb ond Tal Slip wedi bod wrthi drwy'r dydd yn paratoi'r cynhwysion a'u rhoi mewn pair mawr. Am oriau lawer bu'r pair yn ffrwtian ar y tân, a'r oglau diddorol yn chwythu dros yr ynys.

Erbyn amser swper roedd bol pawb yn rymblan. Rhedodd y Cogs i eistedd wrth y ford, a llyfodd pawb eu gwefusau wrth i Monsieur Cog, y pen-cogydd, estyn powlenaid o Borcl Snorcl i bob un. Ar un pen i'r ford eisteddai'r pennaeth, Tal Slip, a set deledu o'i flaen. (Roedd Tal Slip yn mynnu gwylio'r teledu tra oedd yn bwyta, ond yn gwrthod gadael i unrhyw un arall wneud hynny.)

Ar ôl i Monsieur Cog ddweud 'Un, *deux, trois*' (sef, 'Un, dau, tri' yn Ffrangeg), cododd pawb eu llwyau. Ond dim ond un person aeth ymlaen i roi'r bwyd yn ei geg, a'r person

hwnnw oedd Tal Slip. Gwyliodd pawb arall y llwy'n diflannu i mewn i geg fawr ddu eu pennaeth. Dalion nhw eu hanadl gan obeithio clywed y gair '**Iymi**'.

Cnôdd Tal Slip yn araf, araf. Sugnodd ei wefusau ac o'r diwedd agorodd ei geg. '**Iy . . . YYYYYYYYCH!**' sgrechiodd a phoeri cegaid o Borcl Snorcl ar draws y ford. Trodd ei wyneb

yn biws. Trodd wynebau gweddill y Cogs yn wyn fel y galchen, gan feddwl eu bod wedi gwenwyno'u hannwyl bennaeth. Roedden nhw ar fin nôl doctor, pan sylweddolon nhw fod bys Tal Slip yn pwyntio at y teledu.

Ar sgrin y teledu, yn wên o glust i glust, roedd y bardd gwaetha yn y byd i gyd (ym marn y Cogs).

'**IYYYYYYYCH!**' gwaeddodd pawb ond Tal Slip.

'**SHHHHHHHHH!**' sgrechiodd Tal.

Gwasgodd pawb eu pawennau dros eu cegau, a gwrando ar y newyddion dychrynllyd.

'Cyhoeddwyd heddiw mai'r bardd Rhonabwy O'Landaf Jones fydd yn darllen cerdd o'i waith ei hun yn seremoni agoriadol Cwpan Corssnorclo'r Byd, Cymru,' meddai'r gohebydd, gan droi at Rhoj. 'Dwi'n deall mai heddiw gawsoch chi'r amlen, Mr Jones? Sut deimlad oedd derbyn y gwahoddiad?'

'O, gwych!' ebychodd Rhoj. 'Mae'n fraint aruthrol. Does ond gobeithio y bydd fy ngherdd fach i'n plesio.'

'**GRRRRRRRRR!** NA FYDD, DIM GOBAITH!' bloeddiodd y Cogs, gan ysgwyd eu dyrnau ar y sgrin deledu. Ond roedd gwaeth i ddod.

'Ydych chi wedi dewis teitl ar gyfer eich cerdd eto?' gofynnodd y gohebydd.

Nodiodd Rhoj yn eiddgar. 'Ydw,' meddai, a'i wyneb hapus yn llenwi'r sgrin. 'Y teitl yw *Tawel Ffos.*'

'**BE?**' Atseiniodd sgrech gynddeiriog o geg Tal Slip. 'Mae e wedi dwyn fy ngherdd i!' bloeddiodd. 'Riportiwch e! Angelbert, ffonia Swyddfa Cymru, Cwpan Cors-Snorclo'r Byd ar unwaith. Ffonia **NAWWWWWWWWR!**'

Ochneidiodd Angelbert a brwsio lympiau o Borcl Snorcl oddi ar ei sgert. Roedd Tal Slip wedi dymchwel y ford, gan sarnu'r bwyd dros bawb.

'*Tawel Ffos* oedd teitl ei gerdd e,' meddai Angelbert yn swta wrth Tal Slip. 'A *Tywel Ffos* yw teitl dy gerdd di. Maen nhw'n wahanol.'

'Ond f'un i sydd orau!' sgrechiodd Tal gan ddyrnu braich ei gadair. Torrodd y pren yn ddarnau a thasgu dros bobman. 'Mae *Tywel Ffos* yn deitl llawer mwy cyffrous a gwreiddiol na *Tawel Ffos*, on'd yw e?'

'Ydy!' gwaeddodd pob un o'r Cogs. 'Ydy, ydy, ydy!'

'I lawr â'r *Tawel* ac i fyny â'r *Tywel*!' rhuodd Tal Slip. 'Rhaid i ni rwystro Ofnadwy O'Fandal Jones a'i rwystro e **NAWR**!'

Neidiodd Tal Slip ar ei draed ac anelu ar ras am y llwybr oedd yn arwain o'r ynys. Roedd e'n mynd i redeg yr holl ffordd i dŷ Ofnadwy O'Fandal Jones. Roedd e'n mynd i gipio'r unig gopi o *Tawel Ffos* o law ei elyn, ei wasgu'n belen, ei gnoi a'i . . .

'**A!**' Cododd gwich o wddw Tal Slip. Roedd dyn yn cerdded tuag ato ar hyd y llwybr â rhyw fath o ffon hir yn ei law. Cofiodd Tal yn sydyn fod heddlu'r byd yn chwilio amdano fe a gweddill y Cogs. Sgidiodd i stop, gan feddwl dianc, ond llithrodd ar y mwd a disgyn fel crempogen ar lawr.

Rholiodd llygaid Tal yn wyllt. Ble oedd gweddill y Cogs? Doedd dim sôn amdanyn nhw'n unman. Am gachgwn! **Aaaaaa!** Nawr roedd y dyn â'r ffon yn sefyll uwch ei ben ac yn gwthio'r teclyn tuag ato.

'**Help!**' gwichiodd Tal a chau'i lygaid yn dynn.

'A helô i chithau hefyd,' meddai llais ifanc, serchog. 'Ga i ofyn pwy y'ch chi, er mwyn i wylwyr y byd gael eich nabod?'

Gwylwyr y byd? Agorodd Tal un llygad. Nid ffon oedd y teclyn oedd yn cael ei chwifio o flaen ei drwyn, ond meicroffon. Agorodd Tal ei lygad arall a gweld camera teledu'n pwyntio tuag ato. Roedd e ar y teledu!

'Pwy y'ch chi?' gofynnodd y dyn ifanc eto.

'Barth,' gwichiodd Tal. Roedd e wedi bwriadu dweud 'bardd', ond roedd ei geg yn llawn o fwd.

'Barth!' ebychodd y dyn ifanc, a'i lygaid yn disgleirio fel sêr. 'Am lwc! Do'n i ddim yn sylweddoli bod y cystadleuwyr cyntaf wedi cyrraedd Cymru. Ond fan hyn, dan drwch o fwd y gors, mae Barth Olomwd, pencampwr cors-snorclo gwlad Twrci! Mae'n dda gen i gwrdd â chi, syr! Croeso i Gymru!' meddai'n frwd, gan gydio ym mhawen Tal a'i hysgwyd.

Waw! Roedd Tal wrth ei fodd. Roedd e'n cael ei drin fel brenin. Ac *roedd* e'n frenin. Cododd ar ei eistedd, chwifio'i law a gwenu'n frenhinol. Yn ddiweddarach fe fyddai'r lluniau'n gwibio rownd y byd, gan achosi cynnwrf mawr yng ngwlad Twrci. Doedd neb yno'n gallu credu bod eu harwr, Barth Olomwd, bellach yn edrych mor hyll.

Byddai'n achosi cynnwrf mawr ar yr ynys fechan yng nghanol Cors Eth hefyd. Y noson honno, roedd pob Cog ar yr ynys wedi ymgynnull o flaen y set deledu gan wenu'n filain wrth weld eu pennaeth clyfar yn dynwared cors-snorclwr. Ers blynyddoedd, roedd y Cogs wedi bod yn gaeth ar yr ynys, rhag ofn cael eu dal gan yr heddlu. Ond nawr roedd y dyddiau hynny ar ben, a gallai pob un o'r Cogs esgus bod yn gors-snorclwr. Doedd dim i'w rhwystro nhw rhag crwydro i ble bynnag y mynnent.

'**Har har har har har!**' chwarddodd Tal Slip yn gas. 'Aros di, Ofnadwy O'Fandal Jones. Os doi di'n agos at y gors, fe fydd hi ar ben arnat ti. **Har har har har har. Iymi!**'

Ji-binc?

Heb sylweddoli bod ei fywyd mewn cryn berygl, roedd Rhoj – neu 'Bardd y Cwpan' fel roedd pawb yn ei alw erbyn hyn – yn cael hwyl rhyfeddol ar gyfansoddi'i gerdd, *Tawel Ffos*. Roedd ei feiro wedi troi'n wialen hud, a'r geiriau'n llifo ohoni ac yn trefnu'u hunain yn dwt a bythgofiadwy ar y dudalen.

Tra oedd Rhoj yn brysur yn barddoni, roedd ei wraig a'i ferch wedi bod yn siopa ac wedi prynu ffrog bob un o sidan lliw mwd, gyda phatrwm o ffliperi a snorceli du. Roedden nhw hefyd wedi prynu Bêbi-gors yr un i Heilyn a Hopcyn. (Math o *Baby-gro* a gynlluniwyd yn arbennig ar gyfer Cwpan Cors-snorclo'r Byd, Cymru oedd y Bêbi-gors, gyda snorcel a ffliperi'n sownd wrth bob un.) Doedd Rhoj ei hun ddim wedi prynu dillad eto. Roedd e'n rhy brysur o lawer.

Doedd Twmcyn ddim wedi prynu dillad newydd chwaith, ond roedd e'n croesi'i fysedd ac yn gobeithio y byddai ganddo reswm da dros wneud. Roedd Fel yn croesi'i bysedd drosto hefyd. Oni bai am Twmcyn, byddai Fel yn gwenu o fore gwyn tan nos, ond doedd hi ddim yn hoffi gwenu gan nad oedd ei ffrind gorau wedi cael gwahoddiad i Bryd-Eth eto. Ar ôl i ddyddiad  cau'r gystadleuaeth fynd heibio, ac wrth i ddiwrnod tynnu enwau'r enillwyr nesáu, roedd Fel yn croesi pob bys oedd ganddi, ac yn gobeithio'r gorau.

Roedd cannoedd o faniau wedi cyrraedd Swyddfa Cymru, Cwpan Cors-snorclo'r Byd a phob un yn cynnwys pentwr o albyms yn llawn sticeri. Roedd Cefin, trefnydd y gystadleuaeth, bron â diflannu o dan y mynydd o albyms.

Gan na allai ddod o hyd i sach ddigon mawr i ddal y cyfan, roedd e wedi llogi pwll nofio gwag ger y swyddfa, ac wedi ei lenwi ag albyms sticeri. Wedyn, roedd e wedi anfon neges at Eth a gofyn iddi ddod draw i dynnu enwau'r tri enillydd allan o'r pwll.

Doedd Eth ddim yn fodlon o gwbl bod Cefin yn disgwyl iddi hi fynd i ryw bwll nofio yn ne Cymru. Roedd hi ar ganol ymarfer ar gyfer cystadleuaeth bwysica'i bywyd. Doedd ganddi ddim amser i adael y gors. Ond wedi i Cefin drefnu i'w chasglu mewn Jymp Jet, a mynd â hi'n ôl adre'n syth, fe gytunodd ar yr amod na fyddai raid iddi dynnu'i snorcel na'i ffliperi na golchi'i hwyneb. Felly, a chamerâu'r teledu'n ei dilyn bob cam, fe godwyd Eth o'r gors a'i chludo ar ras i'r pwll nofio.

'A nawr,' meddai cyflwynydd rhaglen *Tynnu Enillwyr Gwobr Pryd-Eth*, 'mae Eth Huws yn mynd i ddod drwy'r drw . . . **O**, mae hi wedi dod! Nawr mae hi'n mynd i blym . . . **O**, mae hi wedi gwneud!'

Roedd Eth yn symud mor gyflym nes taro'r cyflwynydd yn fud. Tra oedd injan y Jymp Jet yn dal i chwyrnu y tu allan, fe wibiodd Eth fel mellten ddu drwy'r drws a phlymio'n syth i mewn i'r pwll llyfrau.

Eisteddai Twmcyn a Fel yn fud ar y soffa, eu llygaid wedi'u hoelio ar y sgrin deledu, ac ar y snorcel oedd yn gwau'i ffordd rhwng y llyfrau.

Yn sydyn, tasgodd un albwm i'r awyr a disgyn wrth draed Cefin oedd yn sefyll ar lan y pwll.

Cododd Cefin yr albwm a darllen mewn llais gwichlyd: 'Yr enillydd cyntaf yw Jini Lomu o ynys Tonga.'

'Paid â phoeni, Twmc,' meddai Fel, gan geisio'i gysuro. 'Mae gen ti ddau gynnig arall.'

Gwibiodd y snorcel rhwng yr albyms eto, a thasgodd albwm arall i'r awyr. Daliodd Cefin e y tro hwn a chyhoeddi: 'Yr ail enillydd yw Oscafr Eto o Guatemala.'

Rhedai'r chwys i lawr wyneb Twmcyn. Dim ond un cynnig oedd ar ôl! Allai e ddim dioddef gwrando. Gwasgodd ei ddwylo dros ei glustiau.

Ac felly, pan ddarllenodd Cefin yr enw ar y trydydd albwm ddaeth allan o'r pwll, chlywodd Twmcyn mo'r enw'n glir. Meddyliodd yn siŵr ei fod wedi clywed y geiriau 'Twmcyn Lewis', a neidiodd oddi ar y soffa gan weiddi a phwnio'r awyr.

'**Iîîîp-îîîî!**' gwaeddodd, heb sylwi ar yr olwg drist ar wyneb Fel. '**Waw-i!** Dwi'n cael dod i Bryd-Eth wedi'r cwbl!'

Yn anffodus, nid 'Twmcyn Lewis' ddwedodd Cefin, ond 'Am syrpréis!' A thra oedd Twmcyn yn dawnsio rownd y stafell, fe ychwanegodd: 'Mae'r trydydd enillydd yn dod o Gors Eth. Yr enw yw . . .' Oedodd Cefin a chraffu'n ofalus iawn ar y sgrifen flêr. Beth yn y byd oedd y llythyren gyntaf? **A!** Rhaid mai 'J' oedd hi. 'Yr enw yw Ji-binc!' cyhoeddodd.

Roedd Twmcyn yn dal i ddawnsio pan sylwodd fod Fel yn sefyll yn stond, ei llygaid yn fawr a gofidus, ac un deigryn yn rholio i lawr ei boch. Teimlodd Twmcyn fel petai llaw oer wedi gafael yn ei galon a'i gwasgu'n dynn.

'Pam wyt ti'n crio?' gwichiodd mewn llais crynedig. 'Dwi'n un o'r enillwyr!'

Ysgydwodd Fel ei phen yn drist. Pwyntiodd at y sgrin a'r geiriau:

Llongyfarchiadau
i
Jini Lomu, Tonga
Oscar Eto, Guatemala
Ji-binc, Cymru

'Ond . . . ond . . . ond . . .' gwichiodd Twmcyn mewn llais torcalonnus. 'Dwedodd e "Twmcyn Lewis". Glywes i fe.'

Cydiodd Fel yn llaw ei ffrind. 'Na, wnest ti ddim,' meddai'n drist. 'Roedd dy ddwylo di dros dy glustiau, felly chlywest ti ddim yn iawn. Ji-binc ddwedodd e.'

Ddywedodd Twmcyn 'run gair gan fod Jymp Jet yn rhuo dros do'r tŷ. Petaen nhw ond yn gwybod bod Eth yn eistedd wrth ochr y peilot, fe fyddai Fel a Twmcyn wedi rhedeg allan yn llawn cyffro i chwifio llaw arni, a byddai hynny wedi codi calon Twmcyn. Ond wydden nhw ddim, felly dim ond ochneidio wnaeth y ddau a dal i syllu'n ddiflas ar ei gilydd.

Siom Eto

Gwibiodd y Jymp Jet yn ei flaen a hedfan yn isel dros ynys fechan yng nghanol Cors Eth lle roedd criw o Gogs hapus ac un person trist. Eisteddai'r Cogs hapus o gwmpas y pentwr o snorceli a ffliperi roedden nhw newydd eu casglu o fwd y gors, gan chwerthin yn llon. Roedd ganddyn nhw gynllun gwych! Roedden nhw'n mynd i wisgo fel cors-snorclwyr a chipio Ofnadwy O'Fandal Jones cyn iddo agor ei geg a brifo clustiau pawb â'i benillion twp. A thra oedd Ofnadwy'n garcharor ar Gors Eth, byddai Tal Slip yn camu ar y llwyfan o flaen biliynau o wylwyr, ac yn adrodd ei gerdd ryfeddol, *Tywel Ffos.*

Oedd, roedd y Cogs ar ben eu digon – pawb heblaw am Angelbert Iymi-binc. Tra oedd y lleill yn chwerthin, roedd hi wedi cario'r teledu'n ddistaw bach y tu ôl i'r llwyn pigog. Roedd hi wedi cnoi ei hewinedd mwdlyd wrth wylio'r rhaglen *Tynnu Enillwyr Gwobr Pryd-Eth*.

Roedd hi wedi gwichian yn drist, pan glywodd hi enw'r enillydd cyntaf, ac ochneidio'n uchel pan glywodd hi'r ail enw.

Yna, roedd ei chalon wedi dechrau curo'n gyflym pan glywodd hi Cefin yn dweud, 'Am syrpréis! Mae'r enillydd nesa'n dod o Gors Eth.'

'Fi yw hi!' ebychodd Angelbert a'i chalon yn sboncio fel io-io.

Ond pan gyhoeddodd Cefin yr enw, roedd hi'n methu credu'i chlustiau.

Roedd rhyw greadures o'r enw Ji-binc wedi dwyn ei gwobr hi! Pe bai hi'n cael gafael yn y Ji-binc, fe roddai dro yn ei gwddw a'i berwi i swper. Gan rincian ei dannedd a gwgu'n gas, aeth Angelbert yn ôl at y Cogs eraill. Cymerodd o leia hanner awr iddi ddod ati'i hun ac ymuno yn yr hwyl o gynllunio i ddal Ofnadwy O'Fandal.

'Alla i ddim aros!' meddai Tal Slip. 'Faint o amser sy 'na tan y seremoni agoriadol?'

'Tair wythnos,' meddai Crafydd.

'O, alla i ddim aros tair wythnos! Alla i ddim!' meddai Tal Slip gan sboncio'n gyffrous yn ei gadair. 'Rhaid i ni ddenu Ofnadwy i'r gors cyn hynny. Ond sut?'

'Ei ffonio a gofyn iddo ddod draw?' cynigiodd Llywela.

'Anfon neges ar *Facebook*?' cynigiodd Wag.

'Anfon llythyr,' meddai Angelbert yn bendant, a thynnu o'i phoced y llythyr mewn sgrifen gyrliog oedd yn yr amlen a anfonwyd at Eth Huws.

Gwibiodd llygaid bach duon Tal Slip dros gynnwys y llythyr. **'Ha!'** meddai gan godi bys drewllyd. 'Dwi wedi cael syniad. Fe sgrifennwn ni lythyr.'

'Hm!' meddai Angelbert. Fel arfer, roedd Tal Slip wedi dwyn ei syniad hi. Ond, am unwaith, ddwedodd hi 'run gair, dim ond mynd i nôl beiro a phapur sgrifennu.

Annwyl . . ?

Yn eu cartref, bum milltir i ffwrdd, roedd Jen a Rhoj Jones a'u plant wrth eu boddau. Roedd y teulu cyfan ar bigau'r drain, yn methu aros am y diwrnod mawr pan fyddai Rhoj yn darllen ei gerdd i'r byd.

Roedden nhw'n fwy cyffrous fyth pan gyrhaeddodd llythyr mewn sgrifen gyrliog, gain drwy'r post. Yn anffodus, wnaethon nhw ddim darllen y llythyr yn ofalus – na sylwi ar yr olion bysedd mawr brwnt ar ei ymylon chwaith.

Cymdeithas Cors-snorclo'r Byd

Annwyl Mr Ofnadwy O'Landaf Jones,

Gan fod dyddiad Cwpan Cors-snorclo'r Byd, Cymru, yn agosáu, mae'n bleser gen i eich hysbysu y bydd ymarfer ar gyfer y seremoni agoriadol yn cael ei gynnal ddydd Sadwrn am 9.30 y bore.

Disgwyliwn eich gweld yno, a chofiwch ddod â'ch cerdd gyda chi.

Yn gywir
Lotto Sblashi
Llywydd, Cymdeithas Cors-snorclor Byd

O.N. Dewch â'ch teulu gyda chi hefyd, ond peidiwch â sôn gair wrth neb arall.

O.O.N. Dim ffonau symudol!

O.O.O.N. Dim camera na thelesgop chwaith! Na binociwlars!

'Rhaid i fi fynd draw i ddweud wrth Twmcyn ar unwaith!' meddai Fel, ar ôl darllen y llythyr.

Roedd hi'n awyddus i Twmcyn deimlo ei fod e'n rhan o'r dathliadau, felly roedd hi'n gofalu dweud popeth wrtho. Gwisgodd ei fflip-fflops ac anelu am y drws. Ond cyn iddi gyrraedd, fe gydiodd Dad yn ei llawes a'i thynnu'n ôl.

'**Daaaad!**' protestiodd Fel.

'Chei di ddim sôn gair wrth Twmcyn,' sibrydodd Dad. 'Mae'n dweud hynny ar waelod y llythyr.'

'Ond mae'n rhaid i fi ddweud wrth Twmcyn,' protestiodd Fel. 'Dyw hi ddim yn deg!'

'Na, mae'n rhaid i ni gadw at y rheolau,' meddai Mam yn bendant. 'Os na wnawn ni, falle bydd Dad yn colli'r cyfle i ddarllen ei gerdd.'

Roedd Mam a Dad yn iawn, wrth gwrs. Roedd yn rhaid cadw at y rheolau. 'Peidiwch â sôn gair wrth neb,' oedd y gorchymyn yn y llythyr. *Sôn?* **Hm!** meddyliodd Fel wrthi'i hun.

Yn nes ymlaen, gofynnodd Fel i Dad a gâi hi gopi o'r llythyr i'w hongian ar wal ei sied.

'Cei siŵr,' meddai Dad, a mynd ar ei union i argraffu copi.

Y prynhawn hwnnw, pan ddaeth Twmcyn draw i'r sied i drafod hanes diweddara Cwpan Cors-snorclo'r Byd, Cymru, gwelodd Fel ei lygaid yn gwibio dros y llythyr, ond soniodd hi 'run gair.

Ac felly, ddeuddydd yn ddiweddarach, pan neidiodd Fel a'i theulu i mewn i'r car yn y bore bach, roedd Twmcyn yn gwybod yn union i ble roedden nhw'n mynd – neu'n meddwl ei fod e, o leiaf.

Byg . . . ythiol

Roedd yr haul yn disgleirio ar Ganolbarth Cymru y bore hwnnw, ac ar y car gwyrdd oedd yn teithio i gyfeiriad Cors Eth. Ychydig o bobl fyddai wedi adnabod y person oedd yn eistedd yn sedd y teithiwr. Er bod ei fochau'n disgleirio a'i wefusau'n sibrwd llinellau o farddoniaeth, ychydig o bobl Cymru – heb sôn am weddill y byd – fyddai wedi sylweddoli mai hwn oedd Rhonabwy O'Landaf Jones, Bardd y Cwpan.

Ond bydd pethau'n newid, meddyliodd Rhoj. *Cyn hir fydda i ddim yn gallu symud o'r tŷ heb gael llwyth o ffotograffwyr yn fy nilyn.* Trodd a gwenu ar ei ferch oedd yn eistedd yn anarferol o dawel yn y sedd ôl, yn y canol rhwng ei dau frawd bach.

Wrth nesáu at y gors trodd yr hewl yn fwy esmwyth a gwastad. Roedd Cymdeithas Cors-snorclo'r Byd wedi gweithio'n galed iawn i wella'r ardal o gwmpas Cors Eth, yn cynnwys tarmacio'r hewl oedd yn ymestyn fel neidr ddu drwy'r caeau gwlyb. Bu rhai wrthi'n plannu blodau ar hyd ymyl y gors hefyd – malws, gold y gors, tegeirian a grug – ac roedd y lle'n ddigon o sioe. Ym mhen pella'r gors safai'r stiwdio deledu, y stafelloedd newid, a llwyfan crand – y cyfan yn newydd sbon ac yn sefyll ar bolion mor denau â brwyn.

'Tawel ffos,' ochneidiodd Rhoj yn freuddwydiol wrth wylio'r pryfed yn dawnsio dros wyneb mwdlyd y gors.

Yn sydyn, fe neidiodd pob pryfyn o fewn deg milltir. Gan hymian yn awchus, fe wibion nhw o bob cyfeiriad a ffurfio cwmwl du trwchus uwchben pum person oedd newydd gamu o ddŵr y gors.

'**Waw!** Cors-snorclwyr!' meddai Fel a'i chalon yn curo'n gyffrous. Pwysodd dros Heilyn, gwasgu'i thrwyn ar y ffenest a chraffu ar y pum person. Er ei bod hi'n gymaint o ffan, doedd hi ddim yn gallu'u hadnabod. Wrth gwrs, roedd pob un yn gwisgo siwt rwber, snorcel, gogls a ffliperi, ond hyd yn oed wedyn fe ddylai hi fod yn gwybod pwy oedden nhw.

Arafodd Mam y car yn ymyl y cors-snorclwyr ac agor y ffenest.

'Diwrnod braf,' meddai'n serchog.

'**Blyb!**' atebodd y tewaf o'r pump a chwythu'i snorcel o'i geg. Syllodd y pedwar arall ar y car a'u llygaid yn disgleirio fel chwilod bach y tu ôl i'w gogls.

'Diwrnod braf,' meddai Mam eto.

'**Har har har har!**' chwarddodd y pump.

'**Sssssssss**,' sïodd y pryfed uwch eu pennau.

Aeth wyneb Mam braidd yn binc. 'Pam nad ydyn nhw'n dweud gair?' sibrydodd.

'Falle nad ydyn nhw'n siarad Cymraeg,' sibrydodd Fel yn ôl.

Petai ganddi ffôn symudol, byddai wedi tynnu llun y cors-snorclwyr a'i anfon at Twmcyn – byddai e'n siŵr o'u nabod – ond roedd hi wedi gorfod gadael ei ffôn gartre.

'Dim ots ta beth,' meddai Dad. Agorodd ddrws y car a chamu allan. 'Rhonabwy . . . O'Landaf . . . Jones ydw i,' meddai'n araf a gofalus, gan ddisgwyl gweld gwên yn lledu dros wynebau'r cors-snorclwyr, a'u clywed yn ebychu, '**O waw–i!** Bardd y Cwpan! Mae'n fraint cwrdd â chi!' neu rywbeth tebyg. Yn lle hynny, er mawr syndod iddo, fe wasgodd pob un ei fol a gwneud sŵn taflu i fyny.

O, na! Roedd y cors-snorclwyr yn amlwg wedi dal bỳg stumog. Dychrynodd Rhoj. Petai e'n mynd yn sâl, fyddai e ddim yn gallu darllen ei gerdd yn y seremoni agoriadol. Trodd gan feddwl neidio i'r car a dianc ar ras, ond cyn iddo gael cyfle i gymryd cam, cydiodd llaw yn ei fraich.

'Croeso i Gors Eth,' hisiodd y cors-snorclwr tewaf. 'Dewch ffor' hyn, Mr Of . . .'

Tagodd yn sydyn, a gwichiodd Rhoj gan feddwl ei fod ar fin taflu i fyny drosto. Ceisiodd dynnu'i hun yn rhydd, ond fe lusgodd y cors-snorclwr e tuag yn ôl a rhoi hwb iddo i gyfeiriad y llwyfan ym mhen draw'r gors.

'Wyt ti wedi dod â'r gerdd?' crawciodd.

'Ydw,' meddai Rhoj.

'Dere i ni gael ei gweld hi 'te.' Estynnodd y cors-snorclwr law fawr fwdlyd tuag ato.

Gwelwodd Rhoj. Roedd e wedi argraffu'r gerdd yn ofalus ar bapur gwyn, glân o ansawdd da.

'Os nad oes ots gyda chi, fe gadwa i'r gerdd am y tro,' meddai, gan syllu ar y llaw fwdlyd.

'Am y tro,' meddai'r cors-snorclwr, a gwneud sŵn tebyg i chwerthin.

'Am y tro,' ailadroddodd y pedwar arall, a giglan.

'Diolch yn fawr,' meddai Rhoj gan sythu'i ysgwyddau.

Mae'r cors-snorclwyr yn giglan am eu bod nhw'n nerfus, meddyliodd. *Falle nad ydyn nhw erioed wedi cwrdd â bardd o'r blaen.* 'Ymlaen â ni 'te,' meddai, gan wenu'n garedig.

'Pob lwc, Rhoj!' galwodd Mam.

'Pob lwc, Dad!' gwichiodd Fel.

Chwifiodd Dad ei law ar y teulu, cyn troi a cherdded yn sionc i gyfeiriad y llwyfan ym mhen draw'r gors.

Gwyliodd Fel e'n mynd. Roedd y cors-snorclwr tewaf wedi gafael ym mraich Dad, gan adael olion mwdlyd ar ei siaced ail-orau. Cerddai dau gors-snorclwr arall un bob ochr iddyn nhw. Am ryw reswm, teimlai Fel rhyw gosi annifyr yng ngwaelod ei stumog. Roedd hi wedi meddwl mai hwn fyddai un o ddiwrnodau gorau'i bywyd, ond yn sydyn doedd hi ddim yn teimlo'n hwylus o gwbl. Tybed a oedd hithau wedi dal y bỳg stumog?

Gwyliodd ei thad yn mynd yn llai ac yn llai yn y pellter. Pan nad oedd e'n ddim mwy na maint llygoden, estynnodd Fel am y binociwlars o'r bocs o dan sedd flaen y car. Ond yna'n sydyn, fe gofiodd! Roedd y llythyr wedi pwysleisio 'Dim binociwlars'! Yn amlwg, roedd Dad wedi anghofio'u tynnu o'r car. Cochodd Fel a rhewi mewn cywilydd. Er bod tri o'r cors-snorclwyr wedi mynd gyda Dad, roedd dwy gors-snorclwraig yn sefyll o flaen y car a'u llygaid bach duon yn gwylio pob symudiad.

Camodd un ohonyn nhw'n nes. Teimlai Fel y chwys yn rhedeg i lawr dros ei dwylo a thros y binociwlars. Beth petai'r cors-snorclwyr yn gweld ei bod hi wedi torri'r rheolau? Beth petai Dad yn cael y sac am ddod â binociwlars i'r gors?

Roedd un gors-snorclwraig yn anelu am un o ffenestri cefn y car. Un cam arall, ac fe fyddai'n gweld y binociwlars. Doedd dim byd y gallai Fel ei wneud. Ond drwy lwc gwthiodd Mam ei phen drwy'i ffenest gan feddwl siarad â'r gors-snorclwraig.

Roedd Mam wedi golchi'i gwallt â siampŵ drud, persawrus y bore hwnnw. Roedd y siampŵ'n arogli o bethau glân ac iach a melys – blodau'r gwanwyn, mefus, cnau almon ac ati. Wrth i'r arogl hyfryd sgubo drwy'r ffenest, fe gynhyrfodd y pryfed oedd yn hofran uwchben. Doedden nhw ddim wedi arfer â phethau glân.

Yn eu dychryn fe lanion nhw'n un swp ar ben y gors-snorclwraig a chuddio pob centimetr o'i hwyneb. Am eiliad, allai hi weld dim byd. Yn yr eiliad honno fe wthiodd Fel y binociwlars i mewn i'r bocs a'i gicio o dan y sedd. Ochneidiodd yn falch.

89

Erbyn hyn, roedd Dad wedi diflannu'n llwyr. Hanner-caeodd Fel ei llygaid a chraffu ar y llwyfan ym mhen draw'r gors. Doedd neb ar y llwyfan a dim golwg o neb yn unman. Dyna beth od!

'Mam,' sibrydodd Fel. 'Wyt ti'n meddwl mai cors-snorclwyr go iawn yw'r bobl 'ma?'

'Wrth gwrs,' meddai Mam yn syn. 'Beth arall allen nhw fod? Maen nhw'n gwisgo siwtiau rwber a gogls a ffliperi.'

'Meddwl o'n i falle mai plismyn ydyn nhw,' meddai Fel.

'**A!**' meddai Mam. 'Felly rwyt ti'n meddwl eu bod nhw'n gwisgo siwtiau rwber er mwyn plymio i'r dŵr a gwarchod y gors rhag tresmaswyr?'

'Digon posib,' meddai Fel. 'Achos dwi ddim yn deall pam y byddai cors-snorclwyr go iawn yn trefnu i gwrdd â Dad fan hyn. Byddai rhai go iawn yn rhy brysur yn ymarfer ar gyfer y Cwpan.'

'Mae hynny'n ddigon gwir,' meddai Mam.

'Fe gawn ni weld nawr,' meddai Fel. Tynnodd lyfr llofnodion o'i phoced, ei ddangos i'w mam a wincio wrth gamu allan o'r car.

Yr eiliad y cyffyrddodd traed Fel â'r tarmac, disgynnodd ffliper ar eu pennau a'u gwasgu'n galed.

'Ble wyt ti'n meddwl wyt ti'n mynd?' chwyrnodd perchennog y ffliper mewn llais plismonaidd.

'Hoffwn i gael eich llofnodion chi,' meddai Fel yn foesgar.

'Llofnodion?' Cipiodd y gors-snorclwraig y llyfr o'i llaw. Ffliciodd drwy'r tudalennau a gadael olion mwdlyd ar bob un. 'Wyt ti'n trio twyllo?' chwyrnodd. 'Does dim byd yn hwn.'

'Nac oes, siŵr,' meddai Fel. 'Does 'na ddim llofnodion, achos dwi ddim eto wedi cwrdd â neb sy'n ddigon pwysig. Chi yw'r cyntaf.'

'Y cyntaf?' gwichiodd y gors-snorclwraig yn falch. 'Glywest ti, Angel . . ?' Tagodd yn sydyn wrth i law ddisgyn dros ei cheg.

'Mae hi'n fy ngalw i'n angel, ond nid dyna fy enw i,' meddai perchennog y llaw.

'Dwi'n deall yn iawn,' meddai Fel. 'Fyddech chi mor garedig â sgrifennu'ch enw beth bynnag?'

Am foment meddyliodd fod y gors-snorclwraig yn mynd i wrthod, ond yna meddai hi, 'Sali Malinca yw fy enw i.'

'Iawn,' meddai Fel, gan wenu'n slei bach. Enw ffug oedd hwn, wrth gwrs. Yn bendant, milwr neu blismon cudd oedd y person oedd yn sefyll o'i blaen.

Cipiodd y gors-snorclwraig feiro o'i phoced. Plyciodd y llyfr llofnodion o law ei ffrind a sgrifennu mewn sgrifen gyrliog a hynod o gain:

Sali Malinca

Syllodd Fel ar y sgrifen, ac unwaith eto teimlodd y corddi ym mhwll ei stumog. Trodd at y gors-snorclwraig arall ac estyn y llyfr a'r beiro iddi.

'Fyddech chi mor garedig â llofnodi hefyd?' gofynnodd.

Rholiodd llygaid y gors-snorclwraig y tu ôl i'w gogls a syllodd ar Sali Malinca mewn braw.

'Dere!' meddai honno'n swta. 'Sgrifenna dy enw . . . Jaci Dosca.'

'A, ie!' meddai'r gors-snorclwraig gan nodio'n eiddgar. 'Jaci Dosca yw fy enw i,' meddai wrth Fel.

'Falch i gwrdd â chi,' meddai Fel, a gwylio'r gors-snorclwraig yn sgrifennu'i henw mewn sgrifen traed brain. Jaci Dosca. **Ho ho ho!** 'O ba wlad y'ch chi'n dod?' gofynnodd gan wneud ei gorau glas i beidio â chwerthin.

Rholiodd llygaid Jaci Dosca eto, a syllodd mewn braw ar ei ffrind. 'O ba wlad y'n ni'n dod?' gwichiodd.

'Ym . . . Pentrebacia,' meddai Sali Malinca.

'Slofacia ddwedsoch chi?' meddai Fel.

'Falle,' meddai Sali Malinca. 'Golcha dy glustiau.'

Fel mae'n digwydd, roedd tîm cors-snorclo arbennig o dda gan wlad Slofacia, ac roedd llun ohono ar wal sied Fel. Ond doedd 'na'r un Sali Malinca na Jaci Dosca yn y tîm. Na, nid cors-snorclwyr go iawn oedd y rhain.

Gwenodd Fel yn serchog ar y ddwy. Roedd hi'n mynd i ofyn iddyn nhw ble oedd Dad, pan ddaeth sgrech annaearol o'r car y tu ôl iddi. Hopcyn oedd wedi deffro, ac wedi gweld creadur dychrynllyd drwy'r ffenest. Roedd Hopcyn yn rhy ifanc i wybod y gwahaniaeth rhwng cors-snorclwraig a bwgan, felly fe sgrechiodd nerth esgyrn ei ben. Deffrodd Heilyn hefyd, ac ymuno yn y sgrechian.

'**Ych a fi!** Am sŵn!' meddai Jaci Dosca a gwthio'i bysedd i mewn i'w chlustiau. Tasgodd ffrwd o fwd o bob clust a disgyn ar lawr.

'**Iymi!**' meddai Sali Malinca, ond nid sôn am y mwd oedd hi. Roedd hi wedi symud yn nes at y car, gan syllu ar y ddau fabi bach, bochgoch y tu mewn.

Sgrechiodd y ddau fabi'n uwch.

'**Iymi, iymi, iymi,**' meddai Sali, ac estyn am ddolen drws y car. 'Rydyn ni'n gwbod sut mae cadw babis bach yn dawel, on'd y'n ni, Jaci? Jaci?' Rhoddodd blwc i benelin ei ffrind a thynnu'i bys o'i chlust.

Lledodd gwên ddeallus ar draws wyneb Jaci Dosca. 'O, ydyn wir,' meddai a llyfu'i gwefusau.

Yn y car, roedd Mam yn dechrau anesmwytho. Doedd hi ddim am fod yn anfoesgar a dweud yn blwmp ac yn blaen wrth y ddwy gors-snorclwraig mai nhw oedd wedi dychryn yr efeilliaid. Felly meddai Mam, ''Sdim angen i chi boeni am y plant. Gadewch nhw i fi. Ewch chi am dro bach i edrych ar y blodau pert.'

'**Iych!**' ebychodd y ddwy gors-snorclwraig.

Erbyn hyn, roedd Sali Malinca wedi agor drws cefn y car ac yn estyn am Hopcyn. Gafaelodd yn ei ysgwydd a thynnu.

'**Stop!** Gan bwyll!' meddai Mam, gan neidio i fyny a phwyso dros y sedd gefn. '**Na! Stop!**' gwaeddodd.

Yn amlwg, doedd Sali Malinca'n deall dim am fabis nac am gadeiriau babis. Yn hytrach na datod y wregys, roedd hi'n trio llusgo Hopcyn yn gyfan o'i sedd.

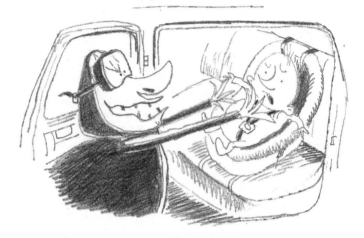

'Gadewch i fi wneud!' gwichiodd Mam. 'Peid . . !'

Rhy hwyr. Roedd Hopcyn wedi estyn ei law mewn panig gan grafu Sali Malinca ar draws ei boch.

Er ei fod e mor fach, roedd ewinedd miniog gan Hopcyn. Serch hynny, doedd dim rhaid i Sali Malinca wneud cymaint o ffŷs, meddyliodd Mam. Roedd y gors-snorclwraig wedi neidio i'r awyr, rhoi sgrech fyddarol a gwasgu'i llaw dros ei boch.

'Mae e wedi ymosod arna i!' sgrechiodd. 'Gwna rywbeth, Llywela. Bwyta fe!'

Gwenodd Mam yn nerfus. Esgus oedd y ddwy gors-snorclwraig, mae'n rhaid. Pwy yn y byd fyddai'n bwyta babi?

Yn anffodus, roedd Fel yn gwybod yr union ateb i'r cwestiwn hwnnw. A chan ei bod hi wedi clywed yr enw Llywela, roedd hi nawr yn deall y rheswm dros y corddi annifyr yn ei bol. Erbyn hyn roedd ei stumog yn troi, ond fe orfododd ei hun i ddringo'n dawel bach yn ôl i'r car. Eisteddodd yn sedd y teithiwr a rhoi plwc i lawes Mam.

'Gyrra,' sibrydodd wrthi.

'**Be?**' gwichiodd Mam oedd yn dal i drio tawelu'r efeilliaid.

'Gyrra, glou!' sibrydodd Fel heb symud ei gwefusau. 'Rhaid i ni achub Dad.'

'Ei achub e?' gwichiodd Mam. 'Be wyt ti'n feddwl?'

'Cogs,' meddai Fel drwy'i dannedd.

Llyncodd Mam yn galed. Gwibiodd ei llygaid i gyfeiriad y ddau greadur mwdlyd oedd yn neidio mewn tymer ar ymyl y gors. Yna, heb air ymhellach, fe estynnodd ei braich dros y sedd a chau'r drws cefn. Clodd y drysau i gyd a thanio injan y car. Sbonciodd hwnnw fel cangarŵ wrth gychwyn ar ei daith sigledig ar hyd ymylon Cors Eth. Tawelodd y ddau fabi'n syth, ond llenwyd yr awyr â sŵn chwyrnu ffyrnig, a dau bâr o draed mewn ffliperi'n taranu ar hyd y tarmac.

Edrychodd Fel dros ei hysgwydd. Roedd y gogls a'r snorceli wedi cael eu taflu o'r neilltu. Nid cors-snorclwyr o'r enw Sali Malinca a Jaci Dosca oedd yn eu hymlid ar hyd yr hewl. Nid plismyn chwaith. Llywela Llywola ac Angelbert Iymi-binc oedden nhw. Sut nad oedd hi wedi eu hadnabod? A beth am y tri arall oedd wedi mynd â Dad i ffwrdd?

'Tal Slip . . .'

'**Be?**' llefodd Mam.

'Tal Slip oedd y cors-snorclwr tew!' llefodd Fel.

Crynodd wrth feddwl am yr olion bysedd mwdlyd ar siaced ail-orau Dad.

'Tal Slip!' meddai Mam. Agorodd ffenest y car a gweiddi nerth esgyrn ei phen, 'Rhoj! Rhoj! Ble wyt ti?'

Atebodd llais bach main o rywle yn y pellter.

'O diolch byth!' meddai Mam. 'Mae Rhoj yn iawn. Mae e'n adrodd ei gerdd yn rhywle.'

'Dyw e ddim!' llefodd Fel. 'Gweiddi "**Help!**" mae e.'

'**Y?**' Sbonciodd y car dros garreg, felly chlywson nhw mo Rhoj yn gweiddi '**Help!**' am yr eildro, ond fe welson nhw ddarn o bapur gwyn, glân yn nofio fel alarch ar fwd y gors.

'Cerdd Dad yw honna!' gwaeddodd Fel.

'**O na!** Ble mae dy dad?'

99

Sbonciodd y car fel cangarŵ eto. Roedd Mam wedi dychryn cymaint nes bod ei throed yn crynu ar y pedal. O'i blaen, roedd y llwyfan mawr yn dod yn nes ac yn nes.

Roedd hi wedi disgwyl gweld ei gŵr – Rhonabwy O'Landaf Jones, Bardd y Cwpan – yn sefyll yno'n gadarn ac yn darllen ei gerdd yn glir a hyderus, ond roedd y llwyfan yn gwbl wag.

Gwichiodd Fel a chydio yn llawes ei mam. Ar ochr dde'r car roedd rhes o gerrig gwynion yn arwain at yr ynys fechan yng nghanol y gors. Ar y cerrig roedd olion traed mwdlyd yn sychu yn yr haul.

'Maen nhw wedi mynd â Dad i'r ynys!' crawciodd Fel.

Breciodd Mam a stopio'n stond.

'Dwi'n mynd i fynd ar ei ôl e,' meddai Fel gan agor drws y car. 'Gyrra di'n ôl i chwilio am help.'

'**Na!**' Cydiodd Mam ym mraich Fel a'i thynnu'n ôl. 'Chei di ddim mynd ar dy ben dy hun. Ry'n ni'n aros gyda'n gilydd.'

'Ond Mam,' protestiodd Fel. 'Beth am Heilyn a Hopcyn?'

'**W . . . wel . . .**' Llyncodd Mam ei phoer mewn braw wrth gofio'r gors-snorclwraig yn dweud, 'Bwyta fe!' *Ond does neb yn bwyta babis*, meddai Mam wrthi'i hun.

Cyn i Fel allu gwneud dim i'w hatal, fe gamodd allan o'r car a sefyll ar ganol yr hewl a'i breichiau wedi'u plethu. Roedd Mam yn gweithio fel gofalwraig awr ginio yn yr ysgol. Allai dim byd fod yn fwy anodd na cheisio rheoli plant swnllyd.

Ond druan o Mam!

Taranodd Angelbert a Llywela tuag ati. Ar yr eiliad olaf, sylweddolodd Jen Jones nad oedden nhw'n bwriadu stopio. Neidiodd o'u ffordd a disgyn â sblash fawr ym mwd y gors. Rhedodd Fel i drio helpu.

Cydiodd ym mraich fwdlyd ei mam, ond disgynnodd hithau'n fflat ar ei chefn.

Am sioe! Giglodd Heilyn a Hopcyn yn hapus. Roedden nhw'n dal i giglan pan agorwyd drysau cefn y car. Cydiodd dwy fraich ym mhob un ohonyn nhw a'u rhwygo nhw a'u seddau o'r car. Pan gododd Mam ei phen o'r gors, beth welodd hi ond Hopcyn yn pinsio trwyn Angelbert a Heilyn yn tynnu gwallt Llywela.

'Rhowch y plant yn ôl yn y car – ar unwaith!' gwaeddodd Mam.

'**Na!**' chwarddodd Angelbert a Llywela, gan redeg nerth eu ffliperi i gyfeiriad y llwybr o gerrig gwynion oedd yn arwain at yr ynys fechan yng nghanol y gors.

Rhoddodd Fel blwc arall i fraich ei mam. Gyda **LLŵ̂ŵ̂ŵ̂ŵ̂ŵ̂P** enfawr fe lwyddodd Mam i godi o'r mwd, ac i ffwrdd â'r ddwy ohonyn nhw nerth eu traed i gyfeiriad y llwybr o gerrig gwynion. Heb aros eiliad, fe lamon nhw ar y llwybr a neidio o garreg i garreg mor gyflym â sêr y byd gymnasteg. O'u blaenau, roedd Heilyn a Hopcyn yn mreichiau'r ddau Cog.

'**Stop! Stop!**' gwaeddodd Mam.

Wnaeth Fel ddim gwastraffu'i hegni'n gweiddi, achos roedd hi wedi bod ar yr ynys hon o'r blaen. Roedd hi'n gwybod yn union pa mor beryglus oedd y Cogs, ac na fydden nhw byth yn stopio jest am fod Mam yn galw. Dim byth.

Felly, fe neidiodd Fel fel ewig dros y llwybr cerrig, ac erbyn i Angelbert a Llywela gamu ar draeth yr ynys, roedd hi'n dynn wrth eu sodlau.

Roedd Heilyn a Hopcyn wedi ei gweld ac yn giglan arni dros ysgwyddau'r Cogs.

'E E E E E,' gwaeddodd y ddau. (Doedden nhw ddim eto'n gallu dweud 'Fel'.)

'Har har har har har!' chwarddodd y Cogs.

'**HAR HAR HAR HAR HAR HAR!**'

Daeth sŵn chwerthin mwy aflafar fyth o ganol yr ynys, lle'r oedd gweddill y Cogs yn dathlu. Roedden nhw wedi tynnu'u siwtiau rwber, eu gogls a'u ffliperi ac yn dawnsio o gwmpas yn eu dillad isa mwdlyd, fel haid o hipos.

Pan welson nhw Angelbert a Llywela'n rhuthro tuag atyn nhw, tawelodd y chwerthin a dechreuodd y Cogs wneud sŵn annifyr iawn gan sugno'u gwefusau.

'**Mamamamama,**' gwaeddodd y ddau fabi'n llon.

'**Iymymymymymymym,**' meddai'r Cogs gan rwbio'u boliau yn ogystal â sugno'u gwefusau.

Sgrialodd Angelbert a Llywela i stop o flaen eu ffrindiau. Stopiodd Angelbert mor sydyn nes i Hopcyn neidio o'i breichiau mwdlyd a disgyn i mewn i'r pair mawr oedd yn sefyll ar bentwr o lwch tân yng nghanol yr ynys.

Trodd wyneb Fel mor wyn â'r galchen, ond daliodd ati i redeg. Hyrddiodd ei hun at y pair gan ddisgwyl gweld ei brawd yn ffrwtian mewn cawl poeth. Ond be welodd hi ond babi bach hapus yn eistedd mewn pwll o uwd oer.

(Roedd e'n uwd iychi dros ben. Dyma i ti ran o'r rysáit:

Cym'wch nionod,
Lot o chwilod,
Chwe moronen,
Croen brogaod,
Dau hanner leim,
Llond trwyn o ...

ac felly ymlaen.)

Oedd, roedd e'n uwd afiach iawn, ond doedd dim ots gan Hopcyn. Roedd e wrth ei fodd gyda phethau drewllyd, sgwishlyd. Felly, pan blygodd ei chwaer dros y pair a'i gipio allan, roedd Hopcyn o'i go. Sgrechiodd yn gas a rhwbio'r uwd afiach dros wyneb Fel.

'**Ych!**' llefodd Fel. Trodd ar ei sawdl gan feddwl cipio

105

Heilyn o freichiau Llywela a dianc nerth ei thraed yn ôl at y car. Yn anffodus, am fod uwd yn ei llygaid, allai hi ddim gweld cam o'i blaen. Yn lle rhedeg at Llywela, felly, fe drawodd yn erbyn bol mawr tew, a theimlo dwy fraich fawr sleimi'n cau amdani.

Cyn pen chwinciad codwyd ei thraed oddi ar y llawr. Drwy haenen o uwd, gwelodd Fel yr awyr yn gwibio uwch ei phen. Ac yna . . . dim byd. Roedd hi'n disgyn i ddwnjwn tywyll a drws yn cau'n glep uwch ei phen.

Am funud ar ôl glanio ar y llawr pridd symudodd Fel 'run llaw na throed, dim ond dal ei gwynt. Roedd rhywbeth arall yn y dwnjwn tywyll. Gallai glywed sŵn anadlu. Beth os mai bwystfil rheibus oedd e? Llygoden enfawr?

Sombi? Gwasgodd ei hun yn erbyn y wal, a gobeithio na fyddai Hopcyn yn gwneud sŵn.

'**Dadadadadada!**' meddai Hopcyn.

Symudodd y bwystfil.

'Mae Dada fan hyn,' meddai.

'Dad!' gwaeddodd Fel.

'Rhoj!' a 'Dadadadad!' gwaeddodd lleisiau o ben arall y dwnjwn.

A dyna pryd y sylweddolodd Fel ei bod hi a'i theulu cyfan yn garcharorion mewn dwnjwn du yng nghanol Cors Eth – a doedd neb arall yn y byd mawr crwn yn gwybod ble oedden nhw.

Ofn ... Ofnadwy!

Roedd Fel yn anghywir. *Roedd* 'na un person arall yn gwybod ble oedden nhw – wel, yn hanner gwybod, o leia – a Twmcyn oedd hwnnw. Roedd Twmcyn wedi darllen y llythyr ar wal y sied, ac felly roedd e'n gwybod bod Fel a'i theulu wedi mynd i Gors Eth. Ond doedd e **DDIM** yn gwybod eu bod nhw'n garcharorion ar ynys fechan yng nghanol y gors.

Pan oedd Fel yn disgyn i'r dwnjwn tywyll, roedd Twmcyn yn gorwedd ar y soffa yn darllen y papurau newydd. Roedd gweddill ei deulu – ei fam a'i dad a'i chwaer fawr – newydd fynd allan i chwarae tennis. Doedden nhw ddim wedi gofyn i Twmcyn fynd gyda nhw, achos roedden nhw'n gwybod yn iawn beth fyddai ei ateb: 'Na, dim diolch.'

Roedd gan Twmcyn dipyn o waith darllen o'i flaen. Roedd papurau dydd Sadwrn yn drwchus iawn, ac er mai dim ond y tudalennau chwaraeon roedd Twmcyn yn eu darllen, roedd

y rheiny'n llawn dop o hanes Cwpan Cors-snorclo'r Byd.

Ar dudalen ganol *Papur Cymru*, roedd llun gwych o Jymp Jet. Yn anffodus, er bod yr awyren ei hun yn glir ac yn sgleiniog, roedd llun y person oedd yn eistedd wrth ochr y peilot braidd yn aneglur. Serch hynny, roedd Twmcyn yn credu'n gryf mai Eth oedd hi, ac er na allai fod yn sicr, fe dorrodd y llun allan a'i ludo yn ei lyfr sgrap. Wedyn fe aeth i eistedd o flaen y teledu ac aros i'r rhaglen chwaraeon ddechrau.

Tra'n aros, meddyliodd Twmcyn am Fel a'i theulu'n mwynhau'u hunain ar lannau Cors Eth. 'Dyna braf,' sibrydodd yn hiraethus, gan ddychmygu Rhoj yn darllen ei gerdd a Fel yn gwylio bybls Eth yn gwau drwy ddŵr y gors. Trueni nad oedd ei dad e'n fardd. Neu'i fam. Neu'i chwaer. Petai un ohonyn nhw'n fardd, ochneidiodd, falle mai fe, ac nid Fel, fyddai'n sefyll y funud hon ar lannau Cors Eth. Doedd bywyd ddim yn deg . . .

Ond, yn sydyn, ymddangosodd logo Cwpan Cors-snorclo'r Byd ar y sgrin. Cododd Twmcyn ei galon ar unwaith. Sut gallai unrhyw un fod yn drist pan oedd rhywbeth mor gyffrous â hyn ar fin digwydd yng Nghymru? Roedd popeth ynglŷn â'r gystadleuaeth yn gyffrous, hyd yn oed y logo gwych – pâr o ffliperi, snorcel a gogls wedi'u gosod i ffurfio pen eliffant.

Y ffliperi oedd y clustiau, y gogls oedd y llygaid a'r snorcel oedd y trwnc, a hwnnw'n chwythu bybls mwdlyd. Snorceliffant oedd enw'r creadur, ac roedd biliynau o deganau

Snorceliffantod wedi'u gwerthu dros y byd i gyd. Roedd gan Twmcyn a Fel dri thegan meddal yr un o wahanol faint, a dwsinau o rai bach plastig.

Diflannodd y logo, a lledodd wyneb llon Lotto Sblashi dros y sgrin yn ei le. Roedd Lotto'n eistedd yn ei bencadlys yn Sydney, Awstralia, ac yn eistedd gyferbyn ag e, yn barod i'w holi, roedd Marian Giggs, gohebydd o Gymru. Tynnodd Twmcyn ei gadair gyffyrddus yn nes at y teledu a gwrando ar bob gair.

Dyma beth glywodd e:

Y SGWRS

(* Er ei bod hi'n fore yng Nghymru, roedd hi'n nos yn Awstralia.)

Marian Giggs: Noswaith dda, Syr Sblashi. Dwi'n gwybod eich bod yn ddyn prysur, felly diolch o galon i chi am gytuno i siarad â fi.

Lotto Sblashi: Pleser.

Marian Giggs: Ar ran pobl Cymru, ga i ddweud mor hynod o falch ydyn ni bod Cwpan Cors-snorclo'r Byd yn cael ei gynnal yn ein gwlad fach ni. Mae pawb drwy Gymru ar bigau'r drain . . .

Lotto Sblashi: O, druain bach!

Marian Giggs (yn lletchwith): Teimlo'n gyffrous maen nhw. Dyna beth yw ystyr 'ar bigau'r drain'.

(Mae Lotto Sblashi'n snwffian, a Marian Giggs yn pesychu.)

Marian Giggs: Tybed a allwch chi ddweud wrthon ni sut mae'r trefniadau'n dod yn eu blaen, Syr Sblashi?

Lotto Sblashi: Na.

Marian Giggs (mewn braw, gan feddwl ei bod hi wedi digio Lotto Sblashi): Na? Allwch chi ddim dweud wrthon ni beth sy'n digwydd ar lannau Cors Eth?

Lotto Sblashi: Na.

Marian Giggs: Pam?

Lotto Sblashi: Achos does dim byd yn digwydd ar hyn o bryd.

Marian Giggs: Dim byd?!!!

Lotto Sblashi (yn hamddenol): Mae popeth yn dawel. Lle tawel yw cors i fod, ac mae'n bwysig ein bod ni'n cadw Cors Eth mor dawel â phosib nes i Gwpan y Byd ddechrau.

Marian Giggs (mewn llais bach siomedig): O! Doedd dim llawer o bwynt i fi ddod i Awstralia i siarad â chi, felly.

Lotto Sblashi: Nac oedd.

Daeth sain cerddoriaeth ysgafn o'r teledu, a diflannodd wyneb tawel Lotto o'r sgrin – ac wyneb syn Marian Giggs hefyd.

Roedd wyneb Twmcyn 'run mor syn. Er i lun o Snorkelling Matilda lenwi'r sgrin, chymerodd e fawr o sylw. Roedd geiriau Lotto Sblashi'n dal i atsain yn ei ben. 'Dim byd yn digwydd ar hyn o bryd.' Doedd hynny ddim yn wir! *Roedd* 'na rywbeth yn digwydd ar lannau Cors Eth – rihyrsal ar gyfer y seremoni agoriadol, ac roedd Rhoj yno'n darllen ei gerdd.

Teimlodd Twmcyn ryw gosi annifyr yn ei fol. Allai e ddim credu bod llywydd Cymdeithas Cors-Snorclo'r Byd wedi dweud celwydd. Roedd rheolau llym iawn gan y Gymdeithas, a Rheol Rhif 214 oedd 'Peidiwch byth â dweud celwydd!' Gwingodd Twmcyn yn anghysurus. Naill ai roedd Lotto Sblashi wedi torri'r rheol, neu . . .

Neidiodd Twmcyn ar ei draed, rhedeg allan drwy'r drws cefn a dringo dros y ffens i ardd Fel. Gan edrych o'i gwmpas i wneud yn siŵr nad oedd neb yn ei wylio, aeth at fôn y goeden afalau a thynnu allwedd allan o dwll cudd. Roedd Fel wedi dweud y câi e ddefnyddio'r allwedd pryd bynnag y mynnai.

Mewn chwinciad roedd Twmcyn wedi agor drws y sied.

Caeodd y drws a darllen y llythyr gwahoddiad oedd yn dal i hongian ar y wal. Darllenodd e'n gyflym, gan feddwl falle bod Rhoj wedi camddarllen y dyddiad. Na, doedd e ddim. Roedd y llythyr yn dweud yn blwmp ac yn blaen, '. . . dydd Sadwrn am 9.30 y bore.'

Felly roedd Lotto Sblashi wedi dweud celwydd. Neu doedd e'n deall dim. Llywydd Cymdeithas Cors-snorclo'r Byd yn deall dim? Am beth ofn . . . *ofn* . . . *Ofn* . . . *Ofnadwy!* Yn sydyn roedd calon Twmcyn yn sboncio fel broga ar lannau cors – *Boingggg! Boingggg! Boingg!* – ac o flaen ei lygaid roedd gair yn sboncio. Y gair hwnnw oedd 'ofnadwy'. Ailedrychodd ar y llythyr.

Annwyl Mr Ofnadwy O'Landaf Jones,

Oherwydd bod Rhoj Jones a'i deulu mor
gyffrous, doedden nhw ddim wedi darllen y
llythyr yn ddigon manwl. Doedden nhw ddim
wedi sylwi ar y gair 'Ofnadwy'! Doedd
Twmcyn ei hun ddim wedi sylwi arno tan y
foment hon. Teimlodd ei bengliniau'n clecian.
Dim ond un grŵp o bobl oedd yn galw Rhoj yn
'Ofnadwy' – Y Cogs!

Rhedodd chwys oer i lawr wyneb Twmcyn a
dripian ar y llawr. Beth os oedd Lotto Sblashi'n
dweud y gwir? Beth os nad oedd rihyrsal yn
cael ei chynnal ar lannau Cors Eth? Beth os mai'r

Cogs anfonodd y llythyr i dwyllo Rhoj? Os felly, roedd y Jonesiaid i gyd mewn perygl mawr!

Tynnodd Twmcyn ei ffôn o'i boced. Roedd e'n gwybod rhif Swyddfa Cymru, Cwpan Cors-snorclo'r Byd ar ei gof.

'Bore da. *Good . . .*' meddai llais serchog Cefin.

'Na, dyw hi *ddim* yn fore da!' gwaeddodd Twmcyn ar ei draws. 'Mae'r Cogs wedi cipio Rhoj!'

Cogs? Rhoj? Doedd Cefin ddim yn deall gair. Snwffiodd yn ddiamynedd, ac estyn y ffôn i Sarjant Bob, Swyddog Gwarchod y Cwpan.

'Ewch oddi ar y lein ar unwaith,' meddai'r sarjant wrth Twmcyn, 'a pheidiwch â gwastraffu amser Cefin.'

'Dwi *ddim* yn gwastraffu'i amser,' protestiodd Twmcyn. 'Mae Bardd y Cwpan ar goll. Fe gafodd e wahoddiad i rihyrsal ar gyfer y seremoni agoriadol heddiw.'

'Does 'na ddim rihyrsal heddiw,' meddai'r sarjant yn swta.

'Na, ond fe gafodd e wahoddiad . . .'

'Sut gallwch chi gael gwahoddiad i rywbeth sy ddim yn bod?' chwyrnodd y sarjant, a rhoi'r ffôn i lawr.

Atseiniodd y **'ping'** yng nghlust Twmcyn, ond yn syth bìn fe ddeialodd y rhif eto. Canodd y ffôn am hydoedd, ond atebodd neb.

Yn ofidus iawn, aeth Twmcyn allan o'r sied, cloi'r drws, a rhoi'r allwedd yn ôl yn ei lle. Dringodd dros y ffens a mynd yn ôl i'w gartref lle'r oedd y teledu'n dal i ddangos llond stiwdio o bobl o bob cwr o Gymru'n sôn am y fraint o gael Cwpan Cors-snorclo'r Byd yn eu gwlad.

'Dwi'n siŵr y bydd popeth yn wych!' ebychodd un.

'A bydd llygaid pawb ar Gymru!' meddai un arall a'i lygaid yn disgleirio. 'Bydd pawb drwy'r byd i gyd yn edmygu'n corsydd ac yn gwrando ar ein barddoniaeth.'

Daeth gwich fach o geg Twmcyn wrth glywed y gair 'barddoniaeth'. Roedd pawb yn y stiwdio mor hapus a llon – a doedd neb wedi sylweddoli bod 'na gwmwl mawr du'n hofran uwch eu pennau.

Poen Clust

Roedd y Jonesiaid druain yng nghanol y cwmwl hwnnw, ac wedi'u cau mewn cell ddu fel bol buwch.

Erbyn hyn roedd Fel wedi cael cyfle i ddod ati'i hun ac wedi sylweddoli ble oedd hi. Ar ei hymweliad diwethaf â'r ynys, roedd hi wedi cael ei charcharu yn yr union fan hon. Nid cell go iawn oedd hi, ond pantri tanddaearol. Soniodd hi 'run gair wrth ei rhieni. Petai Jen a Rhoj yn sylweddoli eu bod nhw mewn pantri, bydden nhw'n dychryn ganwaith gwaeth. Roedd Mam yn dal i grynu wrth gofio am Angelbert yn gweiddi 'Bwyta fe!' tra oedd hi'n trio dal Hopcyn bach.

Byth ers iddyn nhw ddisgyn i'r pantri, roedd Mam a Dad wedi bod yn cynllunio sut i ddianc. Eu syniad cyntaf oedd cynnig swm o arian i Tal Slip am eu gadael yn rhydd.

'Har har har har har!' oedd ateb Tal Slip, pan glywodd e'r cynnig. 'Stwffiwch eich arian!'

Yr ail syniad oedd cynnig cwrs o wersi barddoniaeth i'r Cogs.

'GRRRRRRRR!' a sgrech oedd yr ateb a gafwyd i'r cynnig anffodus hwnnw. Cilagorwyd y drws a thaflwyd llond bwced o ddŵr bresych drewllyd dros y carcharorion. Roedd arogl ofnadwy arno, ond o leia fe olchodd beth o'r mwd a'r uwd oddi ar Jen a'r plant.

Nawr roedd Dad wedi penderfynu ar drydydd cynnig – un anodd a phoenus dros ben.

'Dwi'n mynd i ddweud wrth Tal, os gwnaiff e'n gadael ni'n rhydd, yr af i'n syth i ffonio Cymdeithas Cors-snorclo'r Byd a dweud na alla i fod yn Fardd y Cwpan wedi'r cwbl,' meddai Dad yn ddewr.

'**Be?!**' gwichiodd Mam mewn sioc.

'A chynnig enw Tal Slip yn fy lle,' ychwanegodd Dad.

'**O na**, Rhoj bach!' llefodd Mam. 'Mae hynny'n ormod!'

'Does dim byd yn ormod i achub fy nheulu,' meddai Dad yn arwrol. 'Beth wyt ti'n feddwl, Fel?'

'Diolch yn fawr, Dad,' meddai Fel yn ddwys. Doedd hi ddim am dorri calon ei thad, ond roedd hi'n gwybod yn iawn na fyddai'r cynnig yn gweithio.

Felly, pan ddringodd Dad y grisiau pren at y drws yn y to, fe ochneidiodd Fel yn dawel bach, gan edmygu'i thad ar yr un pryd. Gwrandawodd arno'n curo'n swil deirgwaith. Ar yr ynys uwchben roedd y Cogs yn chwerthin mor groch, chlywson nhw ddim byd. Curodd Dad deirgwaith, yn uwch. Wedyn fe gurodd bum gwaith – â'i holl egni y tro hwn.

'**IEEEEEE?**' rhuodd llais uwch eu pennau.

'Tal?' meddai Dad.

'Byr?' meddai Tal, a chwerthin am ben ei jôc ei hun, nes bod pridd a cherrig mân yn disgyn drwy'r craciau rownd y drws ac yn disgyn ar ben Dad druan.

Wedi i Dad stopio tisian a thagu, fe eglurodd ei gynnig mewn llais braidd yn grawclyd. Tyrrodd y Cogs i gyd o gwmpas y drws yn y llawr a phlygu'u clustiau tuag ato i wrando. Disgynnodd mwd o'u clustiau a glawio drwy'r craciau.

Am funud gron wedi i Dad orffen siarad, doedd dim sŵn i'w glywed ond drip-drip y mwd.

Yna: '**Be?**' holodd pennaeth y Cogs. 'Rwyt ti'n cynnig rhoi dy le di yn y seremoni agoriadol i fi?'

'Ydw,' meddai Dad yn hapus a gobeithiol.

'Glywsoch chi?' meddai Tal wrth ei ffrindiau. 'Mae Ofnadwy O'Fandal Jones, Bardd y Poti, yn cynnig ei le i fi yn y seremoni agoriadol.'

'Mae e'n swnio'n hapus,' sibrydodd Mam wrth Fel. 'Dwi'n siŵr ei fod e'n mynd i dderbyn cynnig Dad.'

Ddwedodd Fel 'run gair. Roedd hi'n adnabod y Cogs yn ddigon da i sylweddoli mai gwneud hwyl am ben Dad oedden nhw.

121

Yn sydyn, taflwyd y drws uwch eu pennau ar agor, a dallwyd y Jonesiaid gan olau'r haul yn llifo i mewn i'w carchar tywyll. Bu ond y dim i Rhoj gwympo o dop y grisiau a disgyn ar ben ei wraig a'i blant. Drwy lwc, llwyddodd i ddal yn dynn, a lledodd gwên o ryddhad ar draws ei wyneb.

'Diolch yn fawr i ti, Tal,' meddai gan ddechrau dringo dros ymyl y twll.

Ond cyn iddo roi'i droed ar dir yr ynys, estynnodd Tal ei law fawr tuag ato a glaniodd honno'n fflat ar wyneb Rhoj. Gydag un hwb fe wthiwyd Bardd y Cwpan yn ôl i'r twll. Llithrodd i lawr y grisiau a disgyn yn swp ar ben ei wraig a'i ferch. Roedd hynny'n boenus iawn, ond roedd beth ddigwyddodd nesa'n fwy poenus fyth.

'Does dim angen dy help di arna i!' poerodd Tal Slip, a'i lygaid yn fflachio. 'Cymryd dy le di, wir! Fy lle *i* yw e. Dwi'n mynd i achub clustiau pobl y byd. Yn lle gorfod gwrando ar dy rwtsh di, maen nhw'n mynd i glywed barddoniaeth go iawn.' A chan estyn ei fraich pesychodd Tal Slip, codi'i fraich yn ddramatig a dechrau llefaru mewn llais oedd yn atsain dros yr ynys.

Tywel Ffos!

Y mae tywel
Ger y trywel
Wrth y ffos.
Hywel biau nhw –
Hywel Pywel
O Ffair Rhos.

'O, mae'n braf i
Allu crafu
Efo'r trywel.
Ac os gwlychu,
Galla i sychu,'
Meddai Hywel.

Yna'n sydyn,
Beth wnaeth ddisgyn
Ar ei ben?
Llwyth o pw
Gan gwdihŵ
O'r enw Gwen.

'AAAAAA . . !'

Rhuodd Tal Slip yn fwy dramatig fyth, a chodi'i fraich arall. Wrth wneud fe gollodd ei afael ar y drws, a chaeodd hwnnw â chlep aruthrol. Gwingodd y carcharorion druain mewn poen dychrynllyd. Nid clep y drws oedd wedi achosi'r poen, ond y penillion ofnadwy oedd yn atsain yn eu pennau.

Byddai cystadleuaeth Cwpan Cors-snorclo'r Byd yn cael ei difetha! Byddai pobl y byd yn chwerthin am ben Cymru a'i beirdd! Yn y tywyllwch dechreuodd Heilyn a Hopcyn grio. Roedd pawb arall yn teimlo awydd ymuno â nhw. Ond wnaethon nhw ddim.

Gwasgodd Dad ei ddyrnau a dweud, 'Dwi'n mynd i ddianc o'r lle 'ma, os mai dyna'r peth diwetha wna i.'

'Mi wna i dy helpu di bob cam,' chwyrnodd Mam.

Ddwedodd Fel 'run gair, ond yn y tywyllwch fe wnaeth hi rywbeth dewr a pheryglus iawn. Heb ddweud wrth neb, fe dynnodd ei phlygiau clust.

Dim siâp

Rwyt ti'n crynu mewn braw, dwi'n gwybod.

Rwyt ti'n teimlo awydd gweiddi ar Fel, 'Fel! Fel! Paid â bod mor ddwl. Rwyt ti mewn digon o helynt yn barod. Paid â gwneud pethau'n waeth. Rwyt ti'n cofio beth allai ddigwydd wrth dynnu dy blygiau clust, yn dwyt?'

Wrth gwrs bod Fel yn cofio. Roedd hi'n gwybod, pe bai hi'n clywed cymhariaeth yn dechrau â'r gair '**fel**', fe allai newid ei siâp. Heb ei phlygiau clust, roedd Fel mewn perygl enfawr. Ond roedd hi'n fodlon wynebu'r perygl hwnnw er mwyn achub ei theulu, ac achub Cwpan Cors-snorclo'r Byd.

Y tro diwetha i Fel gael ei charcharu yn y pantri arbennig hwn, roedd Twmcyn yno gyda hi. Roedd hi wedi colli'i phlygiau clust bryd hynny, felly pan ddigwyddodd Twmcyn ddweud, **'Fel, rwyt ti'n edrych fel ysbryd**,' fe drodd Fel yn ysbryd a dianc ar ei hunion drwy'r crac rownd y drws. Wedyn, pan newidiodd hi'n ôl i'w siâp cywir, roedd hi wedi gallu agor y drws a gollwng Twmcyn yn rhydd.

'Waw!' meddet ti. 'Felly, os bydd Fel yn gofyn i'w mam a'i thad ddweud yr union eiriau ddwedodd Twmcyn, bydd hi'n gallu dianc yn syth.'

Na. Yn anffodus, dyw pethau ddim mor hawdd â hynny. Dyw Fel ddim yn gallu cynllunio i newid ei siâp. Dyw'r swyn ddim yn gweithio os yw e'n cael ei gynllunio. Felly doedd dim y gallai Fel ei wneud heblaw aros i rywun wneud cymhariaeth o waelod calon.

Eisteddodd yn y tywyllwch a gwrando ar Mam a Dad yn bustachu o gwmpas y pantri wrth drio chwilio am ffordd i ddianc. Bob hyn a hyn roedden nhw'n gwichian wrth gyffwrdd

wyau neidr
wedi pydru

â'r bwydydd afiach oedd ar y silffoedd – y jeli broga mewn sôs coch, y darnau caws llwyd ar bigau draenog, yr wyau neidr wedi pydru, a'r pryfed wedi'u lapio mewn gwe corryn.

Drwy lwc, doedden nhw ddim yn gwybod mai bwydydd oedden nhw, achos doedd ganddyn nhw ddim syniad eu bod mewn pantri. Gan ei bod hi mor dywyll, doedden nhw ddim yn gallu gweld y labeli chwaith. Serch hynny, roedd e'n brofiad ych a fi a diflas dros ben.

jeli broga
mewn sôs
coch

Yr unig rai hapus oedd Heilyn a Hopcyn. Roedd y ddau fachgen bach wedi stopio crio, ac er eu bod yn dal yn gaeth yn eu seddau car, roedden nhw'n gallu pwyso dros freichiau'r cadeiriau a theimlo'r llawr. Dyna bethau hyfryd oedd yno! Roedd Heilyn eisoes wedi bwyta corryn-blas-pesto, a Hopcyn wedi blasu diferyn o jeli llyffantod.

'**Iymymymymym**,' meddai'r ddau.

'Bois bach, ry'ch chi fel bwystfilod rheibus,' meddai Dad.

Hmm . . . meddai Fel wrthi'i hun. *Petawn i'n troi yn un o'r bwystfilod rheibus, gallwn chwalu'r drws yn ddarnau!*

'**Iymymymymym!**' meddai, gan ddynwared ei brodyr, ond ddwywaith yn uwch.

Ond '**Sh**, Fel!' meddai Dad. 'Dwi'n trio gwrando i weld a oes 'na rywbeth yr ochr arall i wal y gell.'

Tawelodd Fel yn siomedig, ond gwichiodd Heilyn a Hopcyn yn llon. Roedden nhw wedi darganfod pethau hir a sgwishlyd a blasus yn gorwedd ar lawr eu carchar. (Mwydod mewn saws cyrri oedden nhw.) Sbonciodd y ddau fabi'n gyffrous a'u seddau'n mynd bang, bang, bang yn erbyn y llawr.

'Dyna ddigon! Ry'ch chi fel haid o eliffantod!' meddai Mam.

Haid o eliffantod! meddyliodd Fel. *Gallai haid o eliffantod dorri'r drws a gwasgu'r Cogs yn fflat!*

Doedd gan Fel ddim sedd car, ond fe neidiodd ar ei thraed a dechrau stampio dros y llawr. **Bang! Bang! Bang!**

'**Sh**, Fel fach!' dwedodd Mam. 'Rwyt ti'n gwneud i'r silffoedd ysgwyd, ac mae 'na ryw bethau bach stici'n disgyn ar fy mhen.' (Llygaid pysgod mewn siwgr eisin oedd y pethau stici, ond drwy lwc fyddai Mam byth yn gwybod hynny.)

Ochneidiodd Fel a disgyn yn ôl i'r llawr. Gallai hi fod wedi cynnig helpu Mam a Dad i chwilio am ffordd allan o'r carchar, ond wnaeth hi ddim. Doedd hi ddim eisiau diflasu'i rhieni, ond gan ei bod hi'n gyfarwydd â'r lle roedd hi'n gwybod mai'r unig ffordd allan oedd drwy'r drws uwch ei phen. A doedd neb – neb o gwbl – yn debygol o agor y drws hwnnw nes bod Cwpan Cors-snorclo'r Byd wedi gorffen. Erbyn hynny byddai hi a'i theulu naill ai wedi troi'n bump o sgerbydau, neu wedi cael eu bwyta gan y Cogs.

Neb o gwbl?

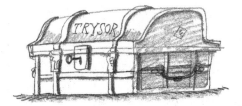

Unwaith eto, roedd Fel wedi anghofio'r cyfan am Twmcyn.

Ar yr union eiliad honno, roedd Twmcyn yn turio o dan ei wely. Tynnodd gist bren allan, a'r gair 'Trysor' arni.

Pe bai lleidr wedi agor y gist, byddai wedi cael siom. Doedd dim aur na gemau gwerthfawr ynddi. Doedd dim pêl-droed wedi'i harwyddo gan dîm Cymru chwaith, nac un o ddannedd miniog Bwystfil Llyn Tegid. Ond, i Twmcyn, roedd cynnwys y gist yn fwy gwerthfawr o lawer na'r rheiny i gyd.

Yn y gist roedd nifer o bethau roedd tad-cu Twmcyn wedi'u rhoi iddo. Pysgotwr oedd Tad-cu, ac ar un adeg fe fyddai'n aml yn mynd i bysgota mewn cors fach ddi-nod yng Nghanolbarth Cymru. Un tro, rai blynyddoedd yn ôl, roedd e wedi taflu'i lein i'r dŵr a theimlo pwysau trwm ar y bachyn. Roedd Tad-cu wedi gweiddi '**Ia–hwwww!**' a weindio'r rîl ar ras. *Waw, mae hwn yn glamp o bysgodyn!* meddyliodd Tad-cu. Bu'n tynnu a stryffaglio a bustachu nes – **LLŵŵŵŵŵŵŵP!** – allan o'r dŵr fe gododd creadur mawr, du â thrwyn hir a thraed broga. '**Ia–hwwwww!**' gwaeddodd Tad-cu eto, gan feddwl ei fod wedi dal Bwystfil y Gors. Ac yna fe sylweddolodd fod y bwystfil yn siarad.

Ac yn gweiddi pethau cas.

'Rho fi i lawr, y ffŵl gwyllt, gwirion! Y mwnci difanars! Y penbwl pathetig!'

Wps!

Roedd Tad-cu wedi dal cors-snorclwraig.

Nawr, er bod Eth (achos Eth ei hun oedd hi) yn gweiddi pethau cas, nid ar Tad-cu oedd y bai. Hwn oedd y diwrnod cyntaf i Eth fynd i ymarfer yn y gors. Doedd hi ddim wedi sôn gair wrth neb, felly doedd dim modd i Tad-cu wybod ei bod hi'n nofio yn y dŵr. Doedd dim angen o gwbl i Eth ruo mewn tymer, ac yna taflu'i siwt rwber a'i snorcel a'i ffliperi at Tad-cu. Ond dyna beth wnaeth hi, mae'n flin gen i ddweud.

Aeth Tad-cu â'r cyfan adre, gan feddwl falle y bydden nhw'n handi pan oedd e'n pysgota ryw ddiwrnod. Fe ddododd nhw yn y garej, a dyna lle buon nhw am sawl blwyddyn nes i Twmcyn ddechrau cymryd diddordeb mewn cors-snorclo. Erbyn hynny roedd Eth Huws yn enwog, a'r gors yng Nghanolbarth Cymru wedi'i henwi ar ei hôl.

Doedd Tad-cu ddim yn un o ffans Eth. A dweud y gwir, doedd e ddim yn ffan o unrhyw un oedd yn galw pobl yn 'benbyliaid pathetig', ond soniodd e erioed am hynny wrth Twmcyn. Ddywedodd e ddim chwaith ei bod hi wedi taflu'i siwt rwber a'i snorcel a'i ffliperi ato mewn tymer. Doedd e ddim am dorri calon ei ŵyr, felly fe wnaeth e esgus bod Eth wedi 'rhoi' popeth iddo. Roedd hi'n werth dweud celwydd golau, dim ond er mwyn gweld y wên hapus ar wyneb Twmcyn.

Ar ôl cael yr anrheg werthfawr gan Tad-cu, roedd Twmcyn wedi prynu'r gist drysor yn arbennig ar ei chyfer. Agorodd y gist honno a thaenu'r siwt rwber dros y llawr. Yna fe wnaeth e rywbeth nad oedd e erioed wedi'i wneud o'r blaen. Fe wisgodd y siwt amdano.

Nawr falle dy fod ti'n twt-twtian erbyn hyn, ac yn beio Twmcyn am chwarae cors-snorclo yn ei stafell wely pan oedd ei gymdogion mewn perygl ofnadwy ar ynys fechan yng nghanol Cors Eth. Ond paid â phoeni! Nid chwarae oedd Twmcyn. Roedd e wedi meddwl am gynllun beiddgar ac arwrol . . .

Roedd Twmcyn wedi sylweddoli mai fe oedd yr unig un allai achub y Jonesiaid. Ond sut oedd mynd i Gors Eth? Roedd y Cogs yn ei adnabod ac wedi'i garcharu unwaith o'r blaen. Petaen nhw'n ei weld, fydden nhw ddim chwinciad chwannen yn rhoi tro yn ei gorn gwddw a'i daflu i grochan o gawl berwedig. Felly doedd dim amdani ond mentro i'r ynys mewn dillad cors-snorclwr.

Ar ôl gwisgo'r dillad, estynnodd Twmcyn ei ffôn symudol a thynnu llun ohono'i hun. Anfonodd y llun hwnnw at Dexter Dolffin, llywydd Clwb Ffans Eth, gyda'r neges hon: **Snorclwr dirgel ar ei ffordd i Gors Eth!**

Yna'n syth bìn, fe ddododd Twmcyn ei ffôn yn ei rycsac, rhedeg i lawr y stâr, neidio ar ei feic a dechrau pedlo nerth ei draed i gyfeiriad Cors Eth.

Wrth i Twmcyn bedlo ar hyd strydoedd y dref, rhedodd sawl person allan o'u tai, gan chwifio baneri Cwpan Cors-snorclo'r Byd a gweiddi 'Pob lwc!'

Roedden nhw'n meddwl bod Twmcyn yn un o'r cystadleuwyr! Teimlai Twmcyn yn hapus ac yn gynnes tu mewn, yn union fel petai e'n cystadlu go iawn.

Ond cyn hir roedd e wedi gadael y dref a'r strydoedd ymhell ar ôl. Nawr roedd e ar ei ben ei hun bach yn pedlo i ganol peryglon Cors Eth.

Cic slic

Wrth i Twmcyn bedlo dros dwmpathau o nythod morgrug, dros greigiau, a thrwy lwyni o eithin pigog ar ei ffordd i'r gors, fe glywodd sŵn y tu ôl iddo: '*Bîp! Bîp!*' Sbeciodd dros ei ysgwydd a gweld fan y post yn hercian tuag ato.

'Aros, gors-snorclwr!' gwaeddodd y postmon drwy'i ffenest agored.

Edrychodd Twmcyn o'i gwmpas. Doedd 'na'r un cors-snorclwr arall i'w weld yn unman, felly fe stopiodd.

'Helô, gors-snorclwr,' meddai'r postmon, gan stopio yn ei ymyl. 'Wyt ti ar dy ffordd i'r gors?'

'Ydw,' atebodd Twmcyn.

'Fyddet ti'n fodlon gwneud cymwynas â fi?' gofynnodd y postmon, gan estyn am lythyr oedd yn gorwedd ar y sedd yn ei ymyl. 'Mae gen i lythyr i un o drigolion y Gors, ond mae'n gas gen i fynd yn rhy agos, rhag ofn i olwynion y fan ddifetha'r blodau hyfryd sy wedi cael eu plannu ar hyd y glannau. Fyddet ti mor garedig â mynd â'r llythyr drosta i?'

'Wrth gwrs,' meddai Twmcyn yn serchog. 'Unrhyw beth i helpu Cwpan Cors-snorclo'r Byd.'

'Diolch i ti. A phob lwc,' meddai'r postmon yn frwd gan godi'i fawd.

'Diolch,' meddai Twmcyn gan wenu'n gam. Byddai angen lwc arno, ond nid y math o lwc oedd gan y postmon mewn golwg! Symudodd ei feic o'r neilltu a gwylio'r postmon yn gyrru i ffwrdd.

Ar ôl i'r postmon ddiflannu yn y pellter, tynnodd Twmcyn ei rycsac er mwyn rhoi'r llythyr i mewn ynddo. Wrth wneud, sylwodd ar y logo ar yr amlen. Logo Cymdeithas Cors-snorclo'r Byd! Yna edrychodd ar yr enw:

Neidiodd calon Twmcyn mewn sioc a rhyfeddod. Roedd e'n gwybod yn union beth oedd yn y llythyr heb ei agor, hyd yn oed. Ji-binc oedd trydydd enillydd Gwobr Pryd-Eth. Rhaid felly bod cerdyn mynediad i'r pryd bwyd yn yr amlen!

Roedd Twmcyn yn crynu o dop ei snorcel i waelod ei ffliperi. Yn ei law roedd y cerdyn y bu'n breuddwydio amdano ers dwy flynedd. Teimlodd ryw gosi ofnadwy yn ei fysedd. Oedd e'n mynd i rwygo'r amlen ar agor? Oedd e'n mynd i gipio'r cerdyn, croesi'r enw Ji-binc allan, a rhoi'r enw Twmcyn Lewis yn ei le?

Nac oedd. Roedd Twmcyn wedi darllen llyfr rheolau Cymdeithas Cors-snorclo'r Byd. Rheol 3 oedd: Peidiwch byth â mynd ag offer cors-snorclwyr eraill heb ganiatâd! Wrth gwrs,

Rheol 3: Peidiwch byth â mynd ag offer cors-snorclwyr eraill heb ganiatâd!

Rheol Peidiwch â ! 'h fl

roedd cerdyn yn wahanol i offer, ond roedd Twmcyn yn gwybod na fyddai Cymdeithas Cors-snorclo'r Byd yn cymeradwyo dwyn cardiau pobl eraill chwaith. Felly, fe ddododd y llythyr yn ei rycsac, dringo'n ôl ar ei feic a dechrau pedlo i gyfeiriad Cors Eth.

O'i flaen roedd pobman yn dawel, fel y dwedodd Lotto Sblashi. Yn dawel, ond yn wych. Roedd Twmcyn wedi gweld yr adeiladau newydd ar y teledu, ac wedi gweld lluniau ohonyn nhw droeon mewn papurau a chylchgronau. Ond nawr roedd e'n eu gweld go iawn, ac roedd hynny'n ganwaith gwell. Safai'r adeiladau ar eu polion main fel adar yn gwylio pysgod. Ond gwylio cors-snorclwyr gorau'r byd fyddai'r holl bobl oedd yn paratoi i deithio i'r rhan hon o Gymru ddechrau Awst.

Am foment, anghofiodd Twmcyn ei holl ofidiau wrth feddwl am yr holl recordiau fyddai'n cael eu torri yn y gors hon. Ond ymhell cyn iddo gyrraedd yr adeiladau gwych, fe welodd rywbeth gwyrdd ar lan y dŵr. Sbonciodd calon Twmcyn fel pêl ar drampolîn. Car gwag y Jonesiaid oedd e, ac ar foned y car a'r drysau roedd olion pawennau mawr, brwnt.

Yr ochr draw i'r car roedd olion traed
ffliperog a mwdlyd yn arwain at y rhes
o gerrig oedd yn croesi'r gors tuag
at yr ynys fechan.

Oni bai bod calon
Twmcyn yn curo'n galed yn ei frest, fe
fyddai wedi clywed chwerthin croch yn atseinio
o'r ynys, ac o bosib wedi cael braw ofnadwy.
Ond, drwy lwc, chlywodd Twmcyn ddim byd a
phedlodd yn ei flaen heb oedi o gwbl nes
cyrraedd y llwybr cerrig.

Yn ogystal â bod yn ddewr ac arwrol, roedd
Twmcyn hefyd yn fachgen dibynadwy. (Rheol
Rhif 1,006 Cymdeithas Cors-snorclo'r Byd
oedd: Cofiwch gadw'ch addewidion. Mae pobl
yn dibynnu arnoch chi!) Felly, ar ôl cyrraedd

y llwybr cerrig a disgyn oddi ar ei feic, fe dynnodd Twmcyn y llythyr o'i rycsac ac edrych o'i gwmpas am gartref Ms Ji-binc.

Er mawr syndod iddo, doedd dim sôn am ei chartref yn unman. Roedd Twmcyn yn ystyried ailbostio'r llythyr yn y bocs coch ar lan y dŵr, pan sylwodd ar garreg fawr wen ar y llawr â'r enw 'Cors Eth' arni. Deallodd ar unwaith mai fan hyn oedd y postmon yn gadael llythyron, felly gwthiodd y llythyr o dan y garreg. Yna fe guddiodd ei feic mewn llwyn o flodau pinc, tynnu'i gogls dros ei lygaid, rhoi'i snorcel yn ei geg a throi at y llwybr oedd yn arwain i'r ynys.

Slap! Slap! Slap! Torrwyd ar draws tawelwch y gors gan sŵn ffliperi Twmcyn yn taro yn erbyn y cerrig. Treiddiodd y sŵn drwy'r dŵr nes cyrraedd clustiau Eth Huws oedd yn snorclo islaw. Cododd y gors-snorclwraig enwog ei thrwyn o'r mwd a gwylio rhywun mewn siwt rwber yn stryffaglu tuag ati ar draws y gors. **'Ybi!'** meddai Eth yn grac. Hi oedd yr unig un â hawl i ymarfer yn y gors hon. Doedd yr un cors-snorclwr arall i fod i ddod yn agos nes

143

bod cystadleuaeth Cwpan Cors-snorclo'r Byd wedi cychwyn. **'Ybl!'** meddai Eth eto, a theimlo'i gwaed yn berwi gan achosi i fwrlwm mawr o fybls ledaenu ar draws y gors.

Gwelodd Twmcyn y bybls yn rhuthro amdano. Gan feddwl bod bwystfil yn llechu yn y gors, fe wichiodd mewn braw a dechrau rhedeg. Camgymeriad oedd hynny. Cyn pen dim roedd e wedi baglu dros ei ffliperi a disgyn fel crempogen i'r gors. Wrth i'r dŵr mwdlyd gau uwch ei ben, fe sgrechiodd Twmcyn drwy'i snorcel. Roedd rhywbeth du, milain yn gwibio tuag ato, gan weiddi **'Ybl ybl ybl ybl!'**

Doedd gan Twmcyn ddim syniad (a phaid ti â dweud wrtho!) mai Eth Huws oedd y peth du, milain, ac ystyr yr **'Ybl ybl ybl!'** oedd

'Cer o 'ma'r penbwl pathetig!' Pe bai Twmcyn yn gwybod, byddai'n siomedig iawn am ei fod wedi colli cyfle i gael llofnod Eth Huws. Neu falle y byddai'n siomedig am fod Eth Huws wedi gweiddi pethau cas arno, ysgwyd ei dwrn, a rhoi cic ffliperllyd i'w ben-ôl. O achos y gic anferthol, fe dasgodd Twmcyn o'r dŵr a glanio mewn pwll o fwd ar lan yr ynys fechan yng nghanol Cors Eth.

Ar ôl iddo gael ei wynt ato, fe agorodd Twmcyn un llygad a gweld pâr o draed mawr, brwnt yn union o flaen ei drwyn. Caeodd ei lygad ar unwaith ac esgus bod yn forlo drewllyd, marw.

Iym-morlo

Os wyt ti'n trio cuddio rhag gelyn, fel arfer mae esgus bod yn forlo drewllyd, marw yn syniad da. Ond os wyt ti'n trio dianc rhag un o'r Cogs, dyw e ddim yn syniad da o gwbl. Os darlleni di'r llyfr *Ryseitiau Heirdd y Coginfeirdd* fe fyddi di'n deall pam.

Ar dudalen 198, mae'r rysáit hon:

Iym-morlo
Cymrwch forlo sydd yn drewi,
Dwy lygoden wedi'u rhewi,
Tatws pwtsh
A llwytho...

ac yn y blaen.

Yn anffodus i Twmcyn, Angelbert Iymi-binc oedd perchennog y traed a safai o flaen ei drwyn.

'**Igmi igmi igmi**,' meddai Angelbert wrth weld y morlo drewllyd, ac mi fyddai wedi cnoi darn o ffliper Twmcyn yn y fan a'r lle, oni bai i rywbeth rhyfeddol dynnu'i sylw.

Yn y mwd, heb fod ymhell o ffliperi Twmcyn, gorweddai amlen a fu unwaith yn wyn fel yr eira. Hon oedd yr amlen a osododd Twmcyn o dan y garreg bum munud ynghynt. Roedd y bwrlwm o fybls a sgubodd drwy'r gors wedi ysgwyd y garreg, cipio'r amlen a'i chludo yr holl ffordd i'r ynys fechan. Er ei bod hi'n wlyb, ac yn fwd drosti, roedd yr enw Ms Ji-binc yn dal i'w weld yn blaen.

'Ji-binc!' hisiodd Angelbert, a'r gwaed yn llifo i'w bochau. Cofiai weld yr enw Ji-binc ar y sgrin deledu y noson y tynnwyd Gwobr Pryd-Eth. Ji-binc oedd enillydd y trydydd tocyn. Hisiodd Angelbert eto, cyn edrych o'i chwmpas yn slei bach.

Yn wahanol i Twmcyn, doedd Angelbert erioed wedi darllen llyfr rheolau Cymdeithas Cors-snorclo'r Byd. Ond hyd yn oed petai hi wedi darllen Rheol 3, sef 'Peidiwch â mynd ag offer cors-snorclwyr eraill heb ganiatâd,' fyddai hynny ddim wedi gwneud unrhyw wahaniaeth

o gwbl. Yn gyflym iawn, fe gipiodd Angelbert yr amlen, a chan chwerthin **'Har har har har har!'** fe redodd i ffwrdd ar ras gan fwriadu ei chuddio cyn i'r Cogs eraill ei gweld.

Ond . . . roedd Angelbert wedi anghofio am y morlo drewllyd! Cyn gynted ag yr aeth hi o'r golwg, neidiodd y 'morlo' ar ei draed a mynd i guddio mewn llwyn lle gallai glustfeinio heb i neb ei weld.

O ganol Cors Eth daeth sŵn llais yn adrodd cerdd. 'Rhoj!' meddyliodd Twmcyn, a sbonciodd ei galon yn obeithiol. Ond wrth iddo wrando'n astud ar eiriau'r gerdd, crychodd ei drwyn. **Ych a fi!** Fyddai Rhoj erioed wedi sgrifennu rhywbeth mor ffiaidd. Y Cogs oedd wrthi, roedd hynny'n amlwg.

Daeth y gerdd i ben, a ffrwydrodd sŵn curo dwylo a bloeddiadau o **'Hwrê! Gwych! Ffantastig!** Y gerdd orau erioed!' dros yr ynys fechan.

Sleifiodd Twmcyn o lwyn i lwyn nes dod i ymyl y llannerch yng nghanol yr ynys.

Yno, eisteddai Tal Slip ar gadair dderw gerfiedig, a choron ar ei ben. Roedd gweddill y Cogs yn dawnsio o'i amgylch a'r ddaear yn crynu o dan eu traed. Ond ble oedd Fel a'i theulu? Edrychodd Twmcyn ar y pair mawr yn ymyl Tal Slip. Croesodd ei fysedd a gobeithio nad oedd e'n rhy hwyr.

Syllodd ar y pair am funud gron, heb weld cip o'r Jonesiaid. Falle'u bod nhw yn y pantri, meddyliodd.

Gan fod Twmcyn wedi cael ei garcharu gan y Cogs ar ei ymweliad diwethaf â'r ynys, roedd e'n gwybod bod y pantri tanddaearol o dan y goeden fawr yr ochr draw i'r llannerch. Yn dawel bach, tra oedd y Cogs yn dawnsio, fe gripiodd o lwyn i lwyn nes cyrraedd y goeden fawr.

Roedd y Cogs yn cadw allwedd y pantri o dan bot blodyn wrth droed y goeden. Cododd Twmcyn y pot, gafael yn yr allwedd a thynnu anadl ddofn. Gallai weld cefn pen coronog Tal Slip. Gallai weld breichiau'r dawnswyr yn chwifio yn yr awyr ac yn troi mewn cylch. Doedd ond gobeithio nad oedd neb yn ei weld e. Yn gyflym fel llygoden, rhedodd tuag at y drws yn y llawr.

Cyn cyrraedd y drws, fe glywodd sgrech yn codi o'r pantri.

'Fel! Fel! Ble wyt ti?' Llais Jen Jones.

'Heilyn! Tynna'r het 'na o dy geg!' Llais Rhoj.

'**WAAAAAAA!**' Llais Heilyn (neu falle Hopcyn).

Yn amlwg, roedd panig mawr ymysg y carcharorion yn y pantri. Ond dim ots! Roedd Twmcyn yn gwybod nawr ble roedd y Jonesiaid. Cyn hir fe fydden nhw'n rhydd!

Dododd yr allwedd yn y clo, heb sylwi ar y cysgod du oedd yn dod tuag ato.

'**Morlo!**' gwaeddodd Angelbert, a oedd newydd guddio'i hamlen ac ar y ffordd yn ôl i ymuno â'r lleill. Roedd hi wedi anghofio'r cyfan am y morlo blasus, drewllyd nes iddi ei weld yn cripian tuag at y pantri. Nid yn unig roedd e'n flasus ac yn ddrewllyd, ond roedd e'n **GLYFAR** hefyd! Pwy feddyliai y byddai morlo marw'n gallu cripian i'r pantri ar ei ben ei hun?

'Da iawn ti, forlo,' meddai Angelbert, gan godi Twmcyn oddi ar y llawr.

Yna fe agorodd hi ddrws y pantri, a chyn i Twmcyn gael cyfle i gicio na gwingo, fe hyrddiodd Angelbert e i lawr y grisiau a chau'r drws yn glep ar ei ôl.

Aw ... Baw!

Rholiodd Twmcyn i lawr y grisiau pren a disgyn ar ben rhywbeth gweddol feddal.

'**Aw!**' gwaeddodd y peth gweddol feddal yn ei glust. '**Aw!**' gwaeddodd eto, gan wthio Twmcyn i ffwrdd.

Rholiodd Twmcyn ar draws y llawr a tharo yn erbyn silff. Rholiodd pethau bach fflwfflyd dros ymyl y silff a glawio ar ei ben. Yn y tywyllwch dudew, byddai dieithryn wedi dychmygu mai pom-poms bach pert oedd y pethau fflwfflyd. Ond roedd Twmcyn yn gwybod yn well – corynnod-mewn-hadau-dant-y-llew, un o hoff fwydydd y Cogs, oedden nhw. Roedd un wedi glanio yn ei geg! Poerodd Twmcyn yn wyllt, a chlywed dau bâr o draed yn straffaglu tuag ato, a dau lais yn sgrechian: 'Fel, Fel! Wyt ti'n iawn?'

'Nac ydw,' atebodd Fel mewn llais crac. 'Mae 'na forlo drewllyd newydd ddisgyn ar fy mhen i!'

'Fi oedd e,' gwichiodd Twmcyn, ond chlywodd neb ei lais.

Roedd Rhoj a Jen yn dal i weiddi ar draws ei gilydd. 'Fel! Fel! Gwisga dy blygiau clust. Mae'n beryglus i ti fod hebddyn nhw!'

A! Nawr, roedd Twmcyn yn deall ystyr y gweiddi glywodd e cyn agor drws y pantri. Yn amlwg roedd Fel wedi tynnu'i phlygiau clust gan obeithio y byddai ei rhieni yn dweud rhywbeth defnyddiol, er enghraifft, **'Fel, rwyt ti fel eliffant!'** Wedyn byddai Fel wedi rhuo'n eliffantaidd, carlamu lan y grisiau, a gwasgu pob Cog yn fflat. Yn anffodus, doedd Jen na Rhoj ddim wedi dweud dim byd o'r fath. Roedd un o'r ddau wedi dweud: **'Rwyt ti fel het!'** a'r canlyniad oedd . . .

Ond chafodd Twmcyn ddim amser i feddwl am y canlyniad, achos roedd rhywbeth wedi cripian drwy'r tywyllwch tuag ato, rhywbeth â chragen galed a cheg wlyb. Glaniodd y geg yn

erbyn pen Twmcyn a dechrau sugno'i glust.

'**A!**' sgrechiodd Twmcyn. 'Mae rhywbeth yn trio sugno fy ymennydd i allan drwy 'nghlust i. **He–e–e–elp!**'

Symudodd yr un o'r Jonesiaid.

'**Help!**' gwaeddodd Twmcyn eto, wrth i bedwar dant grafu top ei ben.

'Twmcyn?' meddai Fel o'r diwedd, yn llawn syndod a rhyfeddod. 'Ti sy 'na?'

'Ie,' sgrechiodd Twmcyn. 'Ond fydda i ddim yma am hir, achos mae bwystfil yn sug . . . no.' Llyncodd yn sydyn. Roedd y bwystfil newydd sibrwd '**Dadadadadada**'.

'Bwystfil?' gwaeddodd Fel gan neidio ar ei thraed a tharo yn erbyn ei mam yn y tywyllwch. 'Fe wna i dy achub di nawr, Twmcyn!' Ac anelodd glamp o gic carate nes bron iawn â llorio'i thad.

Dadadadada!

Tra oedd y Jonesiaid yn baglu ar draws ei gilydd, estynnodd Twmcyn ei law'n ofalus, a chyffwrdd â'r peth caled yn ymyl ei glust. Nid bwystfil oedd e. Nid cragen chwaith. Roedd e wedi'i wneud o blastig. Yn sownd wrth y peth plastig roedd . . . babi.

'Heilyn!' gwichiodd Twmcyn. 'Neu Hopcyn!' gwichiodd wedyn, gan ychwanegu **'Iych! Paid!'** Roedd y babi, p'un bynnag oedd e, yn trio sugno'r corynnod-mewn-hadau-dant-y-llew o'i foch.

'Ble mae'r bwystfil?' rhuodd Fel uwch ei ben gan ddal i wneud ciciau carate. **'Ble . . . Wps!'** Baglodd dros Twmcyn a disgyn ar ei ben. **'A!** Mae e fan hyn!' gwaeddodd ar ei mam a'i thad, gan ddal gafael yn Twmcyn a'i ysgwyd yn chwyrn. 'Dwi wedi dal y bwystfil. Morlo drewllyd yw e.'

'Fel! Fi sy 'ma, Twmcyn!' gwaeddodd Twmcyn yn ei chlust.

'O na!' gwichiodd Fel. 'Mae'r bwystfil wedi llyncu Twmcyn! Clywes i e yn siarad yn ei fol!'

Snwffiodd Twmcyn a chodi ar ei eistedd. 'Fi *yw* Twmcyn,' meddai'n swta. 'Does dim morlo. Fi sy 'ma, yn gwisgo siwt rwber.'

'O, Twmcyn, rwyt ti wedi dod i'n hachub ni!'

meddai Jen yn hapus. 'Diolch, Twmcyn bach. Pryd fydd y plismyn yn cyrraedd?'

'Wel . . .' meddai Twmcyn.

'Neu bwyllgor Cymdeithas Cors-snorclo'r Byd?' holodd Rhoj yn eiddgar.

'Wel . . .' meddai Twmcyn eto.

Ochneidiodd Fel. 'Does neb yn dod,' meddai ar ôl eiliad neu ddwy o ddistawrwydd. 'Rwyt ti fel llo, Twmcyn,' ychwanegodd yn dawel.

Gwylltiodd Twmcyn. Roedd e wedi peryglu'i fywyd i achub y Jonesiaid. Doedd hynny ddim yn beth lloaidd i'w wneud. **'Ac rwyt tithe fel pw llygoden!'** gwaeddodd.

Sgrechiodd Jen a Rhoj. Ar yr un pryd fe ddisgynnodd rhywbeth bach du ar law Twmcyn. Fyddai Twmcyn byth **BYTHOEDD** fel arfer yn cyffwrdd â baw llygoden. Ond, am unwaith yn ei fywyd, yn lle gweiddi **'YCH!'** a rhedeg nerth ei draed i olchi'i ddwylo, fe hyrddiodd Twmcyn ei hun i fyny'r grisiau, a gwthio'r darn bach o faw llygoden drwy'r crac yn ochr y drws.

pw llygoden.

Doedd ond gobeithio ei fod wedi gwthio'n ddigon pell. Suddodd Twmcyn i lawr ar y grisiau ac aros.

Pw-din

Uwch ei ben, roedd Fel yn teimlo'n ych a fi iawn. Peth ofnadwy yw bod yn faw llygoden. Dim ond un peth sy'n waeth, sef bod yn garcharor mewn pantri tanddaearol heb obaith dianc. Felly, er bod Fel yn teimlo'n fach a brwnt a ffiaidd, wnaeth hi ddim cwyno. Ar ôl dod ati'i hun, neidiodd ar ei thraed a chydio yn allwedd y pantri.

Agorodd y drws a syllu i lawr ar bump o wynebau llwyd. Heblaw'r ddau fabi, oedd yn dal i gasglu bwyd blasus oddi ar y llawr, doedd yr un o'r lleill wedi symud gewyn, byth ers i Twmcyn wthio Fel drwy'r crac.

Cododd Fel ei bawd ar ei ffrind a wincio arno. Winciodd Twmcyn arni hithau mewn rhyddhad. Cododd Mam a Dad fabi yr un oddi ar y llawr.

Agorodd Heilyn a Hopcyn eu cegau i brotestio, ond cydiodd Dad mewn dau benbwl gweddol ffres oddi ar silff a rhoi un yr un iddyn nhw i'w cadw'n dawel.

'Ble mae'r Cogs?' sibrydodd Twmcyn, er nad oedd angen gofyn. Roedd y ddawns yn dal i fynd yn ei blaen, a'r llawr yn crynu. Drwy lwc, roedd Angelbert wedi ymuno â'r lleill. Roedd y Cogs yn cael y fath hwyl fel na chlywson nhw mo'u carcharorion yn dianc o'r pantri ac yn rhedeg i guddio yng nghanol y llwyni.

Digon posib y byddai'r Jonesiaid a Twmcyn wedi sleifio oddi ar yr ynys ac wedi dianc nerth eu traed o Gors Eth heb i'r Cogs wybod dim, **OND**, yn anffodus, tra oedden nhw'n dal i swatio yn y llwyni, crynodd yr awyr. **Rytytytytyt . . .**

Roedd hofrennydd yn agosáu at y gors. Ar ei fwrdd roedd Mwdlen Ifans, is-lywydd Cymdeithas Cors-snorclo'r Byd, a chriw teledu oedd yn ffilmio'r gors o'r awyr.

Doedd gan Mwdlen a'r lleill ddim diddordeb o gwbl yn yr ynys fechan yng nghanol y gors, ond wyddai Tal Slip mo hynny. Pan glywodd e sŵn yr hofrennydd, fe chwyddodd brest pennaeth y Cogs.

'Mae criw teledu ar ei ffordd i'm ffilmio i!' gwaeddodd yn falch, gan neidio ar ei gadair a sefyll yn bwysig a'i drwyn yn yr awyr.

Yn anffodus i Tal, fe aeth yr hofrennydd yn ei flaen heb arafu o gwbl. Yn fwy anffodus fyth, gan fod ei drwyn yn yr awyr, fe faglodd Tal wrth fynd i lawr oddi ar y gadair. Ond – ac roedd hyn yn llawer mwy anffodus i'r Jonesiaid – ar ôl disgyn yn fflat ar lawr, fe syllodd y pen-Cog rhwng coesau'i gadair a gweld . . .

DRWS Y PANTRI'N LLYDAN AGORED!

Roedd y Jonesiaid a Twmcyn wedi dianc ar frys heb feddwl cau'r drws ar eu holau!

'**RRRRRRRRRRRRRRRRRRRRRAAAAA!**' rhuodd Tal. 'Mae'r carcharorion wedi dianc!'

Stopiodd y
ddawns yn
syth bìn. O fewn eiliad
newidiodd wynebau'r
Cogs. Diflannodd y
gwenau hapus a'r llygaid
breuddwydiol. O fewn eiliad, roedd y Cogs
wedi troi'n haid o eirth ffyrnig oedd heb gael
eu bwydo ers misoedd. Fflachiodd eu llygaid.
Rhuon nhw i gyd ag un llais. Crynodd yr ynys
fechan. Sbonciodd yr hofrennydd drwy'r awyr,
a'r noson honno fe fyddai dyn y tywydd yn
dweud, 'Heddiw roedd hi'n ddiwrnod braf ym
mhobman yng Nghymru, heblaw am Gors Eth.
Cafwyd storm ddychrynllyd o fellt a tharanau
uwchben y gors, a does ond gobeithio y bydd
y tywydd yn gwella ar gyfer cystadleuaeth
Cwpan Cors-snorclo'r Byd.'

Os oedd y sŵn wedi dychryn y criw teledu,
roedd hi ganwaith gwaeth i'r chwe pherson oedd
yn cuddio mewn llwyn bach, tila ar yr ynys.

'Dwy fowlenaid o Slopsgows yn wobr i bwy
bynnag wnaiff lwyddo i ddal y bardd gwaetha
yn y byd a'i deulu dwl!' gwaeddodd Tal Slip.

Dwy fowlenaid o Slopsgows! **Iym!** Llyfodd y
Cogs eu gwefusau. Dangoson nhw eu dannedd

duon. Edrychon nhw o'u cwmpas a gweld un llwyn yn ysgwyd.

'**Har har har har har har!**' chwarddodd y Cogs, a chodi bodiau ar ei gilydd. Roedd hi ar ben ar Ofnadwy O'Fandal a'i deulu.

'Rhedwch!' gwichiodd Rhoj wrth ei wraig a'i blant a Twmcyn. 'Glou!'

Â Heilyn a Hopcyn yn eu breichiau, neidiodd Mam a Dad o'r llwyn a rhedeg nerth eu traed i gyfeiriad glannau pella'r ynys.

'**Har har har har har har!**' chwarddodd y Cogs, a llyfu'u gwefusau eto. Doedd dim modd dianc o lannau pella'r ynys, achos doedd dim llwybr o gerrig yno. Roedd y Cogs yn gwybod hynny. Roedd Fel a Twmcyn yn gwybod hynny hefyd. Felly, yn lle rhedeg fel Mam a Dad, fe safon nhw'n stond a thrio meddwl am gynllun i achub pawb.

'Wyt ti wedi meddwl am rywbeth, Twmcyn?' sibrydodd Fel.

'Naddo,' meddai Twmcyn yn drist. 'Wyt ti?'

Ysgydwodd Fel ei phen. Sbeciodd rhwng canghennau'r llwyn a gweld y wên fileinig ar wyneb Tal Slip.

'Dwi'n mynd i gyfri i dri,' meddai pennaeth y Cogs yn hamddenol braf. 'Wedyn i ffwrdd â ni. Iawn?'

'Iawn!' gwaeddodd gweddill y Cogs yn gyffrous.

'UN!'

'Twmcyn, paid â sefyll fan'na fel iâr yn gori,' gwichiodd Fel. 'Rhed!' Doedd hi'i hun ddim yn bwriadu rhedeg, ond ddwedodd hi mo hynny wrth Twmcyn. Roedd hi'n bwriadu sefyll yn ffordd y Cogs a'u rhwystro rhag dal ei mam a'i thad a'i dau frawd bach.

'DAU!' bloeddiodd Tal Slip.

'Rhed ti!' meddai Twmcyn. Doedd e ddim yn bwriadu rhedeg chwaith, ond ddwedodd e mo hynny wrth Fel. Roedd e'n golygu taclo Tal Slip. 'Rhed, Fel!' meddai'n daer. **'Paid â sefyll fan'na fel plwm pwdin . . . AAAA!'**

Sgrechiodd Twmcyn wrth i Fel ddiflannu o flaen ei lygaid, ond chlywodd y Cogs mohono. Roedd Tal Slip wedi gweiddi **'TRI!'** a'r Cogs yn rhuthro yn eu blaenau fel gyr o byffalos. Sgrechiodd Twmcyn eto a thrio codi'r plwm pwdin crwn, enfawr â dau lygad frown oedd yn gorwedd ar y llawr wrth ei draed. Sgrechiodd am y trydydd tro wrth golli'i afael ar y pwdin.

Rholiodd y pwdin tuag at y Cogs, yn union fel bowl yn rholio tuag at res o sgitls, ac yn union fel sgitls, fe ddisgynnodd y Cogs blith-draphlith. Roedd pawb yn taro yn erbyn ei gilydd, ac yn rholio tuag at y drws agored yn y llawr. Gyda sgrech a bloedd fe ddiflannon nhw, un ar ôl y llall, i'r pantri tanddaearol.

'Twmcyn!' Er bod Fel wedi dod ati'i hun, roedd ei choesau'n dal i deimlo braidd yn feddal a phwdinaidd. Felly Twmcyn redodd at y drws yn y llawr, a chyn i'r pentwr o Cogs allu codi a chripian allan, fe gaeodd y drws yn eu hwynebau a throi'r allwedd. Heb aros ond i daro dwylo'i gilydd, dihangodd Fel a Twmcyn ar ras i ben draw'r ynys.

Wrth i Fel a Twmcyn redeg heibio i'r Mynyddoedd Sbwriel lle'r oedd y Cogs yn taflu gweddillion eu bwyd afiach, fe welson nhw Jen a Rhoj yn rhedeg tuag atyn nhw. Gwaeddodd pawb yn hapus a chofleidio'i gilydd, heb sylwi ar bâr o gogls yn codi o'r gors. Yn syllu drwy'r gogls roedd llygaid ffyrnig Eth Huws. Roedd hi ar ganol ymarfer, ond sut y gallai unrhyw un ganolbwyntio ar gors-snorclo gyda chriw o bobl yn dawnsio a bloeddio ar ynys fechan yng nghanol y gors?

Roedd Eth wedi wedi codi'i phen o'r dŵr, gan feddwl tynnu'i snorcel o'i cheg a gweiddi, 'Caewch eich cegau, neu fe fydda i'n eich riportio chi i'r Gymdeithas Gors-snorclo a chewch chi ddim dod yn agos at y gors byth eto.' Ond pan sylwodd hi ar siwt rwber un o'r criw swnllyd, fe dagodd mewn tymer.

Rai blynyddoedd yn ôl roedd pysgotwr digywilydd wedi dod i'r gors, ac wedi bachu Eth. Doedd Eth erioed wedi anghofio'r profiad annifyr hwnnw. Roedd hi wedi gobeithio y byddai'r pysgotwr yn dod yn ei ôl er mwyn iddi gael dysgu gwers iddo. A nawr dyma fe – roedd llygaid barcud Eth wedi adnabod ei hen siwt rwber. Wrth i Twmcyn droi ei gefn tuag ati, gwelodd Eth y ddau dwll bach lle trywanodd y bachyn gefn ei siwt.

Chwythodd Eth yn ffyrnig drwy'i thrwyn nes bod bybls yn byrlymu unwaith eto dros y gors. Yna fe gododd ei phen a'i hysgwyddau o'r dŵr a dechrau anelu at yr ynys yn benderfynol, yn sblashlyd ac yn gynddeiriog iawn.

Sylwodd Twmcyn a'r Jonesiaid ddim. Roedd Rhoj a Jen yn gwrando'n syn ar hanes Twmcyn a Fel yn carcharu'r Cogs.

'Rho'r plygiau'n ôl yn dy glustiau, Fel fach,' meddai Jen, 'rhag ofn . . .' Tawodd Jen ar ganol gair. Roedd dafnau o fwd newydd dasgu ar ei chefn, a rhywun â thraed gwlyb yn cripian y tu ôl iddi. Trodd, a dod wyneb yn wyneb â snorcel a phâr o gogls.

'**AAAAAAA!**' sgrechiodd Jen.

'**WWWW!**' ochneidiodd Twmcyn a Fel yn llawn hapusrwydd ac edmygedd. Am wych! Roedd Eth, eu harwres, yn sefyll o'u blaenau.

Eiliad yn ddiweddarach, cyn cael cyfle i estyn am lyfr llofnodion, roedd Twmcyn druan yn disgyn i'r gors.

Mae pobl yn dal i ddadlau ynglŷn â'r digwyddiad hwn. Ai ymosodiad oedd e, neu ddamwain anffodus? Wel, dyma'r ffeithiau er mwyn i ti gael penderfynu drosot dy hun. Roedd siwt rwber Twmcyn yn dal yn slic ac yn fwdlyd ar ôl iddo ddisgyn i'r gors yn gynharach.

Hefyd,
roedd ei
goesau fel
jeli, am fod
trwyn ei arwres
lai na dau gentimetr
o flaen ei drwyn. Felly,
rhwng y mwd a'r jeli, pan ruodd Eth
'Ti yw'r penbwl . . !' a gosod ei dwylo ar ei
ysgwyddau, rywsut fe sbonciodd Twmcyn
rhwng ei dwylo fel broga ar sbrings. Tasgodd
fel roced drwy'r awyr a glanio ar ei drwyn yn y
gors.

Cyn i bawb arall – gan gynnwys Eth – ddod
dros eu sioc, rhuodd hofrennydd dros y gors.
Nid criw teledu oedd yn hwn, ond hanner
dwsin o blismyn. Bloeddiodd un drwy fegaffon,
'Chi sy ar yr ynys, arhoswch ble ry'ch
chi! Peidiwch â symud. Rydyn ni wedi'ch
amgylchynu!' Disgynnodd plismon arall ar raff
ac achub Twmcyn o'r gors.

'Whiw!' meddai Fel, ond fyddai hi ddim wedi
'whiwian' mor hapus petai hi'n gwybod beth
oedd yn mynd i ddigwydd nesa . . .

Ffans-tastig!

Wyt ti'n cofio Twmcyn yn tynnu'i lun cyn gadael y tŷ? Falle dy fod ti wedi trio dyfalu pam y byddai'n gwastraffu amser yn gwneud y fath beth. Neu falle nad wyt ti. Ond dyma i ti'r ateb beth bynnag.

Roedd Twmcyn yn gwybod pa mor beryglus oedd y Cogs, ac yn ofni na fyddai'n gallu achub y Jonesiaid ar ei ben ei hun bach. Ond pwy allai ei helpu?

Roedd Swyddfa Cymru, Cwpan Cors-snorclo'r Byd, wedi gwrthod.

Felly pwy oedd ar ôl?

Clwb Ffans Eth, wrth gwrs!

Criw dewr a ffyddlon oedd Clwb Ffans Eth. Bydden nhw'n fodlon gwneud unrhyw beth i helpu'u cyd-aelodau – unrhyw beth heblaw torri rheolau Cymdeithas Cors-snorclo'r Byd. Roedd Lotto Sblashi newydd ddweud ar y teledu ei bod hi'n bwysig cadw'r gors yn dawel. Felly, roedd aelodau'r Clwb Ffans yn benderfynol o gadw draw oddi yno. Fydden nhw byth yn breuddwydio am fynd yn agos – ddim hyd yn oed i achub Rhoj a'i deulu. Ond os oedd bygythiad i Eth Huws ei hun, wel, roedd hynny'n fater gwahanol. Wrth anfon y llun at Dexter Dolffin, llywydd y Clwb Ffans, roedd Twmcyn wedi ychwanegu neges: **Snorclwr dirgel ar ei ffordd i Gors Eth!**

Snorclwr dirgel ar ei ffordd i Gors Eth?! Yn amlwg roedd e'n bwriadu ysbïo ar Eth. Neu falle'n mynd i'w hypsetio a'i rhwystro rhag ennill Cwpan y Byd! O fewn chwinciad chwannen roedd Dexter Dolffin wedi tecstio neu e-bostio pob un o aelodau Clwb Ffans Eth. Roedd rhai o'r aelodau'n blismyn, ac aeth y rheiny ar eu hunion at eu Prif Gwnstabl a mynnu bod hofrennydd yn cael ei anfon ar unwaith i Gors Eth.

A lwcus iawn eu bod nhw wedi gwneud. Wrth chwyrnellu uwchben yr ynys fechan yng nghanol y gors, beth welodd y chwe phlismon ar fwrdd yr hofrennydd ond criw o ddihirod yn taflu Eth Huws i'r dŵr!

Hm! Nawr rwyt ti wedi darllen y stori hyd yn hyn, felly rwyt ti'n deall bod y plismyn wedi gwneud camgymeriad mawr. Ond doedd dim bai arnyn nhw. Er bod pob plismon ar fwrdd yr hofrennydd yn aelod o Glwb Ffans Eth, doedd yr un ohonyn nhw erioed wedi gweld ei hwyneb. Felly, ar ôl codi Twmcyn o'r gors a'i

osod ar lawr yr hofrennydd, fe dynnodd y plismyn eu lluniau â'u ffonau symudol a'u hanfon at eu ffrindiau gyda'r neges hon: Fi ac Eth Huws!!!! Gwnaeth Twmcyn ei orau glas i egluro iddyn nhw, ond roedd ei fol yn llawn o fwd y gors, a phob tro roedd e'n trio dweud gair, roedd broga neu fadfall yn neidio o'i geg.

Felly, pan gyrhaeddodd llond bws o ffans Eth ar lan y gors, a rhuthro dros y llwybr cerrig tuag at yr ynys, wnaeth y plismyn ddim trio'u hatal. Dim o gwbl. Gwaeddodd un ohonyn nhw drwy'i fegaffon, 'Ewch amdani, ffans! Daliwch y dihirod daflodd Eth i'r gors!'

Tra oedd hyn yn digwydd, doedd y Jonesiaid nac Eth ddim wedi symud cam. Byddai Eth wedi hoffi symud yn reit handi, ond roedd Rhoj yn sefyll ar ei ffliper. Fel arfer fe fyddai'r gors-snorclwraig fyd-enwog wedi ei wthio i ffwrdd yn swta, ond gan ei bod hi newydd daflu un person i'r dŵr, doedd hi ddim yn fodlon mentro rhag ofn i'r un peth ddigwydd eto. Felly, heblaw am sgrwnsian ei thraed yn ei ffliperi a chau ei llygaid, fe arhosodd yn llonydd.

Roedd Eth wedi cau ei llygaid am fod Fel yn syllu arni fel llo bach. Allai Eth ddim dioddef pobl yn syllu arni. **Ffans! Iych!**

Tra oedd Fel yn syllu ar Eth, roedd Jen a Rhoj yn llygadu'r hofrennydd oedd yn paratoi i lanio yr ochr draw i'r gors. 'Wel,' meddai Rhoj, 'gwell i ni fynd i nôl Twm . . .' Tagodd yn sydyn, a gwichian.

Roedd sŵn erchyll newydd atsain ar draws yr ynys.

Sŵn lleisiau'r Cogs yn gweiddi'n hapus.

Roedden nhw'n rhydd!

Gafaelodd Mam a Dad yn dynnach am Heilyn a Hopcyn. 'Rhe . . .' gwichiodd Dad.

Cyn iddo orffen dweud y gair, ysgydwyd y Mynyddoedd Sbwriel i'w seiliau. Sgubodd afalans o esgyrn a hen duniau sŵp, ewinedd llygod, pigau brain a phob math o bethau afiach eraill ar draws yr ynys, wrth i'r Cogs ruthro heibio a ffans Eth yn eu dilyn.

''Co nhw!' sgrechiodd Tal Slip a phwyntio at y Jonesiaid. 'Nhw gloiodd ni mewn cell danddaearol!'

'**Ha!**' meddai Dexter Dolffin gan gamu tuag at Eth a'i lygaid ar dân. 'A dyna'r corssnorclwr dieithr sy newydd daflu'n harwres i'r dŵr. **DALIWCH E!**'

'**Y?**' meddai Eth yn syn. Teimlodd droed Rhoj yn symud oddi ar ei ffliper, ac fe allai fod wedi dianc. Ond wnaeth hi ddim. Roedd hi mewn sioc. Doedd hi ddim wedi arfer â phobl yn gweiddi arni fel hyn.

Yn ei hymyl, roedd Fel hefyd mewn sioc. 'Dexter! Dexter!' gwichiodd. 'Felfor Angharad Rhonabwy ydw i. Aelod Rhif 45 o Glwb Ffans Eth a . . . **AAA!**' Roedd dwylo blewog Tal Slip newydd ei sgubo oddi ar ei thraed. 'Dexter!' sgrechiodd. 'Fel ydw i ac Eth ydy . . .'

'I'r carchar â nhw!' rhuodd y Cogs ar ei thraws. 'Rhag eu cywilydd yn carcharu pobl bach annwyl fel ni!'

'I'r carchar â nhw!' rhuodd y ffans fel côr. 'Rhag eu cywilydd yn taflu Eth i'r dŵr!'

Crynodd yr ynys dan bwysau dwsinau o barau o draed. Doedd traed y Jonesiaid ddim yn eu plith, na rhai Eth chwaith, achos roedden nhw i gyd yn cael eu cario fel rholiau o garped ar ysgwyddau'r Cogs, a'r awyr yn neidio uwch eu pennau.

173

Ac yna fe ddiflannodd yr awyr. Cododd arogl slywod sleimi a phryfed wedi pydru i'w trwynau wrth i'r Cogs ollwng eu gafael. Llithron nhw drwy'r tywyllwch a glanio'n galed ar lawr pridd. Caewyd drws uwch eu pennau.

Roedd y Jonesiaid yn ôl yn y pantri tanddaearol, a'r unig sŵn i'w glywed oedd chwerthin cas. **'Har har har har har!'**

Siorts orau!

Wrth gwrs, roedd Twmcyn
yn dal yn rhydd, felly
roedd gobaith am
ddianc, yn doedd?

Ond ble oedd
Twmcyn?

Roedd e'n eistedd ar
gadair blastig anghyffyrddus
iawn yn y caffi newydd sbon ar lannau Cors
Eth. Roedd y caffi'n hollol wag heblaw am
Twmcyn a'r chwe phlismon oedd yn eistedd o'i
gwmpas. Roedd llygaid y plismyn yn finiog fel
hoelion, a phob hoelen yn gwasgu i mewn i
gnawd Twmcyn.

O'r diwedd, roedd Twmcyn wedi llwyddo i
brofi i'r plismyn nad Eth oedd e. I wneud
hynny, roedd e wedi gorfod cors-snorclo am
gan metr. Roedd un o'r plismyn wedi ei
amseru, ac wedi cyhoeddi'n bendant na fyddai
Eth byth wedi nofio mor araf â hynna, hyd yn

oed pe bai rhywun wedi clymu sach o datws am ei thraed. Ond yn lle gadael Twmcyn yn rhydd, roedd y plismyn wedi penderfynu ei anfon i garchar am iddo ddynwared Eth a gwastraffu amser yr heddlu.

'O, plîîîîîîs gwrandewch arna i,' crefodd Twmcyn.

'**NA!**' meddai'r plismyn.

'Mae Eth Huws ar yr ynys. Mae hi mewn perygl!' llefodd Twmcyn.

'Fyddai gan Eth Huws ddim amser i fynd ar yr ynys,' meddai un plismon. 'Mae hi'n rhy brysur yn ymarfer.'

'Ydy,' meddai un arall.

'Rhag dy gywilydd di'n mynd i'r gors! Fe allet ti fod wedi achosi damwain,' meddai'r trydydd. 'Ti oedd yn achosi'r perygl.'

'Ie . . .' dechreuodd y pedwerydd, gan dynnu cyffion o'i boced. Ond cyn iddo gael cyfle i'w clymu am arddwrn Twmcyn, clywyd sŵn traed yn y coridor y tu allan.

Ar unwaith neidiodd y plismyn ar eu traed a mynd i guddio y tu ôl i'r drws. Pan redodd Dexter Dolffin i mewn i'r stafell eiliad yn ddiweddarach, neidiodd y chwech ar ei ben.

'Di . . . hirod ar yr ynys! Wedi'u . . . dal

nhw!' gwichiodd Dexter.

Ond doedd neb yn gwrando. Doedd neb yn gwylio Twmcyn chwaith. Yn ddistaw bach, cododd Twmcyn a chripian at y drws. Yn y coridor, fe dynnodd y siwt rwber, y ffliperi a'r snorcel oddi amdano a'u gadael ar lawr. Tynnodd y gogls hefyd a rhedeg am y drws ffrynt.

Drwy lwc doedd e ddim yn borcyn. Roedd Twmcyn wedi dychmygu y byddai rhywbeth fel hyn yn digwydd, felly roedd e wedi gwisgo siorts a chrys-T o dan y siwt rwber. Bellach, roedd ei ddillad yn wlyb domen, ond doedd dim tamaid o ots gan Twmcyn am hynny. Yn droednoeth, rhedodd fel ewig tuag at yr ynys fechan yng nghanol Cors Eth.

Wrth nesáu at yr ynys, fe glywodd leisiau'r Cogs yn bloeddio'n hapus, ond wnaeth e ddim arafu.

Bachgen dewr oedd Twmcyn.

Pw!

Yn y pantri tanddaearol, doedd Rhoj Jones, Bardd y Cwpan, ddim yn teimlo'n ddewr nac yn hapus. Teimlai'n drist ac yn euog. Oni bai ei fod e'n fardd, fyddai ei deulu annwyl ddim yn y picil hwn. Petai e wedi treulio'i amser yn gwylio'r teledu neu'n chwarae gêmau cyfrifiadur, yn lle sgrifennu llinellau oedd yn odli, byddai Jen a'r plant yn bwyta hufen iâ yn yr ardd nawr, yn hytrach nag yn swatio mewn pantri tanddaearol. A beth oedd gwerth barddoniaeth yn y pen draw? Gwastraff amser oedd sgrifennu cerdd o'r enw *Tawel Ffos*, achos doedd y ffos ddim yn dawel o gwbl. Doedd y gors ddim yn dawel, na'r ynys chwaith. Uwch ei ben roedd dwsinau o bobl yn gweiddi **'Hwrê!'** ac yn curo'u dwylo'n wyllt.

Tal Slip oedd achos yr holl sŵn. Roedd e newydd lefaru ei gerdd e, *Tywel Ffos*, ac er syndod i Rhoj roedd Clwb Ffans Eth wedi'i mwynhau. I feddwl bod pobl yn deall cyn lleied am farddoniaeth!

Ochneidiodd Rhoj yn y tywyllwch dudew.

Ochneidiodd Jen hefyd a gwasgu'i law.

Gwichiodd Heilyn a Hopcyn yn hapus a gwneud sŵn bwyta.

Eisteddodd Fel yn dawel heb symud llaw na throed. Yn ei hymyl, eisteddai'r gors-snorclwraig fyd-enwog. Doedd Eth ddim wedi dweud gair, ond roedd hi'n amlwg mewn tymer ddrwg, achos weithiau roedd hi'n snwffian, weithiau'n gwingo, ac weithiau'n hisian. A phwy allai weld bai arni? Roedd y Cogs yn ei rhwystro rhag ymarfer, a hynny bythefnos yn unig cyn Cwpan Cors-snorclo'r Byd!

Y gwir amdani oedd fod Eth bron iawn â ffrwydro. Roedd ochneidiau Jen a Rhoj, a llempian y ddau fabi, yn mynd ar ei nerfau. Teimlai awydd i redeg lan y grisiau a hyrddio'i hun yn erbyn y drws, ond peth dwl fyddai hynny. Gallai dorri pont ei hysgwydd

179

cyn y gystadleuaeth. Ond pam na fyddai'r lleill yn hyrddio'u hunain at y drws? Daliodd Eth ati i wingo a snwffian a hisian i ddangos ei hanfodlonrwydd.

'Beth am chwarae gêm fach?' awgrymodd Fel.

'Ie,' meddai Jen yn eiddgar. Byddai gêm fach yn siŵr o godi calon pawb. 'Beth am chwarae *Dwi'n gweld â'm llygad bach fy hun*? Fe ddechreua i. Dwi'n gweld â'm . . . *O-o!*'

Sylweddolodd Jen yn sydyn ei bod hi mewn tywyllwch dudew. Doedd hi'n gweld dim byd. *'Wps!'* ebychodd.

'Penbwl pathetig!' hisiodd Eth o dan ei hanadl.

'Dwi'n awgrymu gêm gyda chymariaethau dwl,' meddai Fel.

'O na!' gwaeddodd eu rhieni mewn braw.

Roedd gan Fel gynllun i'w hachub o'r pantri, ond roedd e'n gynllun peryglus. Roedd hi am i Eth ei chymharu â rhywbeth fyddai'n ei helpu i dorri'r drws i lawr.

'Ie, dewch 'mlaen,' meddai Fel yn ddewr. 'Fe ddechreua i. Mam, rwyt ti fel rheinoseros.'

'**Fel, rwyt ti fel . . . mmm . . . fel eliffant,**' meddai Mam mewn llais bach gwan, gan hanner disgwyl cael ei gwasgu o dan droed lwyd enfawr. Ond, wrth gwrs, wnaeth Fel ddim newid yn eliffant, achos doedd y swyn ddim yn gweithio os oeddech chi'n dweud rhywbeth yn fwriadol. Roedd yn rhaid gwneud cymhariaeth o ddifri calon.

'Dad, rwyt ti fel tanc,' meddai Fel.

'Fel, rwyt ti fel stîm roler,' crawciodd Dad.

Trodd Fel at Eth. Sgyrnygodd Eth a gwasgu'i dyrnau'n dynn. Roedd hon yn gêm hollol dwp a stiwpid!

'Eth, rwyt ti fel morfil,' meddai Fel yn swil.

Yn y tywyllwch, sgyrnygodd Eth yn waeth fyth. Gwasgodd ei dyrnau'n dynnach wrth deimlo anadl Fel ar ei boch. **Iych a dwbwl iych!** Dŵr mwdlyd – dyna roedd Eth yn hoffi ei deimlo ar ei boch. Roedd hi'n casáu'r holl anadlu a'r malu awyr yma.

'Eth,' meddai Fel eto. 'Rwyt ti fel hipopotamws.'

'**AAAA!**' sgrechiodd Eth. '**Rwyt tithe fel arogl**

drwg, yr arogl gwaetha fu erioed, fel llond seler o sbrowts yn pydru, pysgod yn drewi, pw cangarŵ a . . .' Tagodd Eth ar ganol ei rhestr o bethau drewllyd, a ffrwydrodd peswch o'i gwddw. Pesychodd nes bod dagrau'n rhedeg i lawr ei hwyneb.

Roedd yr arogl gwaetha fu erioed wedi llenwi'r pantri tanddaearol!

Tagodd Jen a Rhoj a gwichian 'Fel! Fel!' mewn panig.

Yn eu hymyl fflapiodd Eth ei dwylo'n chwyrn i drio cael gwared ar yr arogl. Gan ei bod hi'n gors-snorclwraig fyd-enwog, a'i chyhyrau'n bwerus, roedd ei fflapio'n arbennig o gryf. Oni bai amdani hi, fyddai Fel erioed wedi llwyddo i ddianc o'r pantri tanddaearol.

Ond wrth i Eth ysgwyd ei breichiau, fe gododd yr arogl drwg at y to, llifo drwy'r crac o gwmpas y drws, a dianc i'r awyr uwchben.

Pw Eto (Sori!)

Heb fod ymhell o ddrws y pantri, roedd Tal Slip yn sefyll ar gadair dderw a gweddill y Cogs ac aelodau Clwb Ffans Eth yn eistedd ar y llawr o'i flaen. Roedden nhw wedi gweiddi '**Encore!**' sawl gwaith, ac erbyn hyn roedd Tal Slip ar ganol llefaru *Tywel Ffos* am y degfed tro. Roedd e newydd gyrraedd y darn lle'r oedd rhywbeth anffodus wedi disgyn ar ben Hywel.

'AAAAA! Dewch â'r tywel!'
Sgrechiodd Hywel.
'Ar fy llw!
Mae'n ddiflas iawn
Cael clustiau'n llawn
O iychi- . . .'

'**Pwwwwwwwwww!**' gwaeddodd y gynulleidfa.

Gwenodd Tal Slip yn hapus a balch. Am wych! Nid yn unig roedd y gynulleidfa'n mwynhau gwrando ar ei gerdd, ond roedden nhw hefyd wedi dechrau dysgu'r geiriau. Caeodd Tal Slip ei lygaid yn freuddwydiol a dychmygu plant ledled y wlad yn dysgu'i gerddi yn yr ysgol, a'u hadrodd mewn eisteddfodau. Chwyddodd ei frest mewn balchder. Anadlodd yn ddwfn. Ac yna . . .

'**PWWWWW!**' crawciodd Tal Slip, a chwympo oddi ar ei gadair. Beth yn y byd oedd yr arogl drewllyd ofnadwy yna? Ar bwy oedd y bai?

'Pwy sy wedi bod yn bwyta sbrowts?' gwaeddodd ar ei gynulleidfa.

Yr eiliad honno fe ruthrodd bachgen mewn siorts a chrys-T mwdlyd i mewn i'r llannerch.

'**Aha!**' rhuodd Tal Slip. 'Ar hwnna mae'r bai! Daliwch e!'

A chyn i Twmcyn allu galw ar Glwb Ffans Eth ac egluro ei fod e'n un ohonyn nhw, fe garlamodd y Cogs tuag ato fel tîm rygbi, a chan ddal eu trwynau yn erbyn y drewdod, fe ddisgynnon nhw'n un sgrym mawr ar ei ben.

Plop-tastig!

Roedd ffans Eth yn dal i dagu a phesychu, felly sylwodd neb ar y ferch oedd newydd ymddangos yn ymyl cadair dderw Tal Slip. Sylwodd neb arni'n pwyso yn erbyn y gadair am eiliadau hir.

Roedd bod yn faw llygoden yn beth erchyll ond, os rhywbeth, roedd bod yn arogl drwg yn waeth fyth. Teimlai coesau Fel mor wan â mwg yn codi o gannwyll. Yn wannach na phluen. Meddyliodd am foment na fyddai hi byth yn gallu symud; digon posib y byddai ei dewrder wedi mynd yn ofer, ac y byddai'r Cogs wedi troi a'i gweld, oni bai i lais godi o'r pantri tanddaearol.

'Fel!' meddai'r llais. 'Da iawn ti! Bydda i'n gwneud yn siŵr dy fod ti'n cael medal am dy ddewrder!'

Llais Eth oedd e! Ar ôl i Fel ddianc drwy'r crac, roedd Jen a Rhoj wedi egluro i Eth beth oedd yn digwydd, ac am unwaith roedd y gors-snorclwraig fyd-enwog wedi teimlo'n euog. Pa hawl oedd ganddi hi i fod yn ddiamynedd ac yn hunanol? Roedd hi'n berson lwcus iawn o'i chymharu â phawb arall yn y byd. Pwy arall allai gors-snorclo can metr mewn deg eiliad? Neb ond hi. Felly, am unwaith, roedd llais Eth yn hynod o gyfeillgar ac edmygus wrth iddi alw ar Fel.

Fe gafodd hynny effaith ryfeddol ar Fel ei hun. Cryfhaodd ei choesau, sythodd ei hysgwyddau, a heb eiliad i'w cholli, fe redodd at y pantri a throi'r allwedd.

Mewn chwinciad chwannen roedd Eth wedi neidio allan i'r awyr agored. Mewn chwinciad arall fe fyddai wedi plymio'n ôl i'r gors, ond llwyddodd Fel i gydio'n dynn yn ei braich.

'Dwi ddim eisiau medal,' meddai Fel yn bendant. 'Ond dwi am i ti ddod i siarad gydag aelodau dy Glwb Ffans a dweud wrthyn nhw mai'r Cogs yw'r dihirod ac nid ni.'

Oedodd Eth, ond dim ond am foment. Oedd, roedd ei Chlwb Ffans yn mynd ar ei nerfau, ond gan fod un ohonyn nhw newydd droi'n arogl drwg er mwyn ei hachub o bantri tanddaearol, am unwaith allai hi ddim gwrthod helpu.

'Iawn,' meddai'n swta.

Ac felly, ar yr union eiliad pan oedd y Cogs newydd godi Twmcyn fel rholyn o garped ac yn rhuthro tuag at y pantri tanddaearol gan feddwl ei daflu i mewn i'r tywyllwch dudew, pwy welson nhw'n dod tuag atynt ond y Jonesiaid ac Eth.

'**GRRRRRRR!**' chwyrnodd y Cogs yn un côr, gan ollwng Twmcyn a rhuthro fel haid o fleiddiaid gwyllt tuag at eu cyn-garcharorion.

Rhewodd Fel a'i theulu yn y fan a'r lle, ond roedd Eth wedi hen arfer troi a throelli i osgoi slywod y gors ac ambell ddwrgi. Felly fe neidiodd yn slic i un ochr ac ymestyn coes ffliperllyd i faglu Tal Slip,

oedd ar y blaen. Disgynnodd Tal fel crempogen ar lawr a gweddill y Cogs ar ei ben. Cyn iddyn nhw gael cyfle i godi, yn chwim ac ystwyth iawn neidiodd Eth ar ben y pentwr a phlethu ei breichiau.

'Fy ffans!' gwaeddodd.

Roedd Clwb Ffans Eth wedi pesychu gymaint nes bod dagrau'n rhedeg i lawr eu bochau. Syllodd pawb ar ei gilydd. Pam oedd y dieithryn yma'n dweud 'Fy ffans'? Ffans Eth oedden nhw, nid ei ffans hi! Cyn i unrhyw beth drwg ddigwydd, cododd Twmcyn ar ei draed.

'Eth yw hi!' gwaeddodd mewn cyffro gwirioneddol. 'Eth yw hi. Wir yr!'

Agorodd llygaid pawb yn llydan. 'Eth! Eth . . !' gwichiodd un ffan ar ôl y llall mewn parch ac edmygedd. 'Eth!' A rhedodd pawb tuag ati'n wyllt gan afael yn dynn yn eu llyfrau llofnodion.

Yr union eiliad honno, fe sylweddolodd y Cogs eu bod nhw mewn perygl mawr, a dechreuon nhw gripian i ffwrdd gydag Eth yn dal i sefyll ar eu cefnau. Rhedodd y ffans yn gyflymach. Cripiodd y Cogs ymlaen yn gyflymach fyth gan edrych dros eu hysgwyddau.

Nawr peth gwael yw rhedeg ac edrych dros eich ysgwydd ar yr un pryd. Fe ddysgodd y Cogs y wers honno pan blymion nhw drwy ddrws agored y pantri tanddaearol a glanio'n boenus ar lawr.

A beth am Eth? Ar yr eiliad olaf roedd Eth wedi rhoi naid oddi ar gefnau'r Cogs a gafael yn un o ganghennau'r goeden fawr gerllaw. O fan'ny fe siaradodd â'i ffans cyffrous.

'Ffans,' meddai Eth. 'Dwi'n falch iawn o'ch gweld chi.' Gwenodd yn gam. 'Ond alla i ddim aros i sgrifennu llofnodion nawr. Ry'ch chi'n deall pam, rwy'n siŵr.'

Tawelodd pawb a nodio'n ddwys.

'Mae Eth yn gorfod ymarfer,' meddai Fel.

'Yn hollol,' meddai Eth, a lledodd gwên hapus ar draws ei hwyneb wrth feddwl am blymio'n ôl i ddŵr hyfryd y gors. Teimlai'r ffans yn hapus hefyd. Er nad oedden nhw wedi cael ei llofnod, roedden nhw wedi clywed llais Eth ac wedi gweld ei gwên.

Felly, wnaeth neb drio'i rhwystro, na'i dilyn chwaith. Safodd pawb yn dawel a'i gwylio'n neidio i lawr o'r goeden a rhedeg tuag at lannau pella'r ynys. Yna fe ddaliodd y ffans eu gwynt nes clywed y **Plop!** hyfryd oedd yn golygu bod Eth yn ôl yn nŵr y gors.

Tawel Ffans

Wedi i'r '**Plop!**' ddistewi, canodd yr adar dros Gors Eth. Roedd popeth yn brydferth a thawel a hapus – yn union fel y dylai fod.

Cododd Fel a Twmcyn fawd ar ei gilydd. Gwenodd Jen a Rhoj yn grynedig. Yn eu breichiau roedd Heilyn a Hopcyn yn cysgu'n sownd, eu boliau'n llawn o bethau afiach ond blasus iawn.

'Adre â ni!' meddai Fel, a dechrau arwain y ffans a'i theulu at lannau'r gors.

Fel oedd y gyntaf i gamu ar y llwybr cerrig. Roedd hi wedi cyrraedd hanner ffordd ar ei hyd, a phawb yn ei dilyn rhibidirês, pan glywsant leisiau'n bloeddio:

Gwibiodd y lleisiau uchel fel cerrynt trydan drwy ddŵr y gors. Teimlodd Eth y cerrynt yn ei tharo, ac fe dasgodd i'r awyr. Tynnodd ei snorcel o'i cheg, a gweiddi'n uwch fyth:

Y plismyn oedd yn gyfrifol. Ar ôl i Twmcyn ddianc o'r caffi, roedd y plismyn wedi clymu Dexter Dolffin i gadair. Ond cyn iddyn nhw glymu sgarff am ei geg, roedd Dexter wedi llwyddo i sôn wrthyn nhw am y criw o ddihirod oedd dan glo mewn pantri tanddaearol ar yr ynys yng nghanol Cors Eth.

Ar unwaith, felly, roedd y plismyn wedi'i adael yn rhydd. Yna, heb aros ond i gasglu megaffon a rhwyd enfawr, roedden nhw wedi rhuthro draw at y llwybr cerrig oedd yn arwain at yr ynys. Wrth nesáu at y llwybr, pwy welson nhw'n dod tuag atynt ond y dihirod eu hunain. Byddai'r plismyn wedi'u rhwydo i gyd yn y fan a'r lle, oni bai am Eth.

Dododd Eth y snorcel yn ôl yn ei cheg, a nofio fel torpedo tuag at y plismyn. Fe nofiodd mor gyflym nes bod y mwd yn berwi ac yn ffrwtian o'i hamgylch. Syllodd pawb a safai ar lannau'r gors mewn rhyfeddod wrth sylweddoli eu bod yn gweld sawl record byd yn cael eu torri. Ar ôl cyrraedd y plismyn, tasgodd Eth o'r gors fel bwystfil yn codi o'r dyfnder.

EWCH I FFWRDD!

gwaeddodd.

Disgynnodd tawelwch dwys dros y gors, heblaw am un llais bach – llais Dexter Dolffin, llywydd Clwb Ffans Eth.

'Eth!' gwichiodd. 'Wyt ti mewn perygl?'

'Ti fydd mewn perygl, y ffŵl gwirion, os na ei di o 'ma yn reit sydyn!' rhuodd Eth.

Aeth wyneb Dexter yn wyn fel y galchen. Roedd Eth, ei arwres, wedi'i alw'n 'ffŵl gwirion'! O, dyna fraint! Dyna braf! Roedd Eth wedi siarad ag e, wyneb yn wyneb!

Cyn iddo allu dweud 'Diolch, Eth,' roedd y gors-snorclwraig fyd-enwog wedi diflannu a llwybr o swigod yn gwibio ar draws y gors.

'Dewch, ffans,' galwodd Dexter yn awdurdodol ar ei ffrindiau. 'Rhaid i ni symud o 'ma. Mae Eth eisiau llonydd.'

Yn dawel, ond yn gyffrous iawn, iawn, fe redodd y ffans ar draws y llwybr cerrig a neidio i mewn i'r bws oedd yn aros i fynd â nhw adref.

Sleifiodd y plismyn yn ôl i'w hofrennydd gan grafu'u pennau. Ble oedd y dihirod? *Oedd* yna ddihirod? Doedd ganddyn nhw ddim syniad, mewn gwirionedd! Fe gaeon nhw ddrws yr hofrennydd, a chododd y peiriant yn dawel i'r awyr, gan adael y Jonesiaid a Twmcyn ar lannau'r gors.

Roedd hi'n ddiwrnod hyfryd o haf. Yn y pellter roedd yr adeiladau newydd yn wincio yn yr haul. Heblaw am wenyn yn suo yn y blodau lliwgar, ac ambell bili-pala'n curo'i adenydd, doedd dim sŵn o gwbl i'w glywed.

'**Aaaaaa!**' meddai Rhoj yn hapus. 'Tawel ffos . . .'

Edrychodd Fel a Twmcyn ar ei gilydd. Doedd bosib bod Rhoj am adrodd ei gerdd a difetha'r diwrnod? Cydiodd y ddau yn ei freichiau a'i wthio tuag at y car cyn iddo gael cyfle i ddweud gair.

Ffans Swnllyd

'Twmcyn!'

Ddeuddydd yn ddiweddarach rhedodd Fel i dŷ Twmcyn ar ras wyllt. Taranodd drwy'r drws heb guro, hyd yn oed. Fe drawodd yn erbyn bwrdd y gegin lle'r oedd Twmcyn wrthi'n cwblhau jig-so Cwpan Cors-snorclo'r Byd. Roedd 5,000 o ddarnau lliw brown mwdlyd yn y jig-so, ac roedd Twmcyn ar fin gosod y darn ola yn ei le, pan lwyddodd Fel i wasgaru'r cyfan.

Sut deimlad yw e i weithio am wythnosau ar jig-so mor anodd, a hwnnw'n cael ei ddifetha ar y funud ola?

Alli di ddychmygu?

Chafodd Twmcyn ddim amser i deimlo'n flin, achos roedd Fel yn ysgwyd llythyr o dan ei drwyn.

Cymdeithas Cors-snorclo'r Byd

Annwyl Rhonabwy O'Landaf Jones,

Fel y gwyddoch eisoes, fe fyddwch chi, Fardd y Cwpan a'ch teulu yn cael pryd o fwyd yng nghwmni'r enwog Eth Huws nos Wener. Yn ymuno â chi fe fydd dau o enillwyr Gwobr Pryd-Eth.

Yn anffodus nid yw'r trydydd enillydd, sef Ji-binc, wedi cysylltu. Oherwydd hynny, felly, mae yna un sedd wag. Os hoffech chi ddod â ffrind gyda chi, ffoniwch ar unwaith.

Yn gywir,
Lotto Sblashi
Llywydd, Cymdeithas Cors-snorclo'r Byd

198

Darllenodd Twmcyn y llythyr unwaith. Darllenodd e ddwywaith. O'r diwedd, gofynnodd mewn llais mor dawel â siffrwd cynffon llygoden dros lawr pantri, 'Ydy Rhoj yn mynd i ffonio?'

Ysgydwodd Fel ei phen.

'Nac ydy?' gwichiodd Twmcyn yn siomedig.

'Dyw e ddim yn **MYND** i ffonio,' meddai Fel yn llon. 'Mae e **WEDI** gwneud!'

Agorodd Twmcyn ei geg, ond allai e ddim dweud gair. Roedd ei galon yn curo fel set o ddrymiau o flaen meicroffon.

'Mae Dad wedi dweud wrthyn nhw y bydd rhywun a gafodd sylw arbennig gan Eth yn dod gyda ni,' meddai Fel.

'**O!**' Suddodd gên Twmcyn. 'Dexter Dolffin,' ochneidiodd. Roedd Dexter wedi cael sylw arbennig gan Eth, on'd oedd e? Roedd Eth wedi ei alw'n ffŵl gwirion.

'Nage, y lembo!' gwaeddodd Eth. 'Nid Dexter Dolffin. Ti, Twmcyn Lewis, gafodd dy daflu i'r gors gan Eth. Ti sy'n dod gyda ni!'

'Fi?' Allai Twmcyn ddim credu'r peth!

'Ie, ti. Pwy arall?' meddai Fel, a gwylio Twmcyn yn cochi fel tomato. 'Oeddet ti wir yn meddwl y byddwn i'n gofyn i Dexter yn hytrach na gofyn i ti? Rwyt ti fel llo weithiau, yn dwyt?'

'**Ac rwyt tithau fel tarw mewn siop lestri**,' meddai Twmcyn yn llon.

O-o! Gwasgodd Twmcyn ei law dros ei geg. Syllodd ar Fel gan ddisgwyl gweld cyrn yn tyfu ar ei phen. Ond ddigwyddodd dim byd. Roedd plygiau Fel yn ei chlustiau, felly doedd y swyn ddim yn gweithio.

'**Whiw!**' meddai Twmcyn. Ond, a dweud y gwir, doedd dim ots pe bai Fel wedi troi'n darw. Roedd hi wedi gwneud cymaint o ddifrod i'r jig-so'n barod, allai hi wneud dim mwy. A doedd Twmcyn ddim yn poeni taten am y jig-so, beth bynnag. Dechreuodd sboncio fel broga a phwnio'r awyr.

'**IA-HŴŴŴŴŴŴŴ!**' gwaeddodd yn llon. '**IIIIIIIP-ÎÎÎÎÎÎÎ! HWRÊÊÊÊÊÊÊÊÊÊ!!!!!** Dwi'n mynd i gael pryd o fwyd gydag Eth!'

Rhedodd Fel a Twmcyn allan i'r ardd gan ddal i weiddi a ia-hŵian. Oedd wir, roedd bywyd yn braf.

I rai . . .

Tw-wit Tw ...

Falle, wrth ddarllen y bennod ddiwethaf, dy fod ti wedi bod yn poeni am y Cogs. Beth ddigwyddodd iddyn nhw? Ble maen nhw, druain bach?

Druain bach????? Wyt ti'n gall? Canibaliaid cyfrwys a mileinig ydy'r Cogs. Yn ogystal, maen nhw'n feirdd gwael. Beth allai fod yn waeth na hynny?

Ond gan fod gen ti ddiddordeb, mi ddweda i wrthot ti. Mae'r Cogs yn dal yn y pantri tanddaearol ar yr ynys fechan yng nghanol Cors Eth. Dydyn nhw ddim yn garcharorion, achos doedd neb wedi cofio cloi drws y pantri.

Felly, liw nos, maen nhw'n dod allan i gasglu slywod a malwod a hen sgidiau ac ati ar gyfer paratoi eu bwydydd afiach. Liw dydd, maen nhw'n swatio o dan y ddaear.

Dydyn nhw ddim wedi dychryn. Wedi pwdu maen nhw, yn enwedig Tal Slip.

Dyw Tal ddim eisiau gwylio'r teledu rhag ofn iddo weld wyneb salw Ofnadwy O'Fandal Jones ar y sgrin.

Dyw e ddim eisiau gwrando ar y radio, rhag ofn iddo glywed celwyddgwn yn canmol Ofnadwy. Ac yn bendant, bendant, dyw e ddim eisiau gweld na chlywed y seremoni agoriadol lle bydd Ofnadwy'n darllen ei gerdd rwtshlyd, *Tawel Ffos*.

IYCH! Mae stumog Tal Slip yn cnoi wrth iddo feddwl am bobl y byd yn gorfod gwrando arni. I leddfu'r boen, mae e'n adrodd ei gerdd anfarwol ei hun, *Tywel Ffos*. Drosodd a throsodd . . .

Mae e newydd adrodd y pennill sy'n sôn am Hywel yn galw am dywel, felly beth am i ni

wrando ar ei lais soniarus yn adrodd y chwe
phennill olaf?

Methu clywed
Wnaeth y teithiwr
Oedd gerllaw.
Yn lle tywel,
Taflodd drywel.
'Aw! Aw! Aw!'

Glaniodd Hywel
Gyda'r trywel
Mewn ffos fawr.
Yno rhewodd
Ac fe ddrewodd
Am ddeg awr.

Yn y bore
Cripiodd adre
Yn wlyb at y croen;
Briw ar ei foch -
Un gwaedlyd, coch.
Aw! Dyna boen.

Nawr mae gan Hywel
Penri Pywel
Wers i ni.
Ac felly – Ust! –
Moela dy glust
A gwranda di.

Os ei di am dro
Ar hyd y fro
Yn hwyr y nos,
Paid byth rhoi trywel
Ger dy dywel
Wrth y ffos.

A gwylia'th ben
Os daw o'r nen
Lais gwdihŵ
Yn gweiddi'n glir
Dros fôr a thir:
'Tw-wit Tw-PWWWWWWWWW.'

Yn y pantri tanddaearol mae pob un o'r Cogs ond un yn curo dwylo'n frwdfrydig. Er eu bod nhw wedi clywed y penillion ganwaith eisoes, maen nhw'n benillion gwych ac yn haeddu cael eu clywed ganwaith eto.

Angelbert yw'r unig un sy'n eistedd yn dawel. Bob hyn a hyn mae Angelbert yn ochneidio, yn codi'i thrwyn, yn sniffian ac yn meddwl ei bod hi'n arogli bwyd hen ffasiwn yn suo dros yr ynys fechan yng nghanol Cors Eth.

Mae Angelbert yn meddwl am y gwahoddiad guddiodd hi o dan lwyn pigog, ac am yr enw 'Ji-binc' oedd ar yr amlen. Mae hi newydd gofio mai 'A.I.Binc' oedd yr enw sgrifennodd hi ar yr albwm sticeri, a bod yr 'A' braidd yn flêr.

'Fy ngwahoddiad i oedd e!' meddai Angelbert yn syn, ac mae gwên yn lledu ar draws ei hwyneb.

Peth braf a chyffrous yw ennill gwobr, hyd yn oed os nad yw hi o unrhyw werth yn y byd i ti.

Eth Eth Hwrê!

Roedd y wobr yn werthfawr iawn i Twmcyn. Ar noson Pryd-Eth, eisteddodd Twmcyn gyferbyn â Fel a'i theulu, a rhwng yr enillydd o Guatemala a'r enillydd o Tonga. Ar ben ucha'r bwrdd roedd lle gwag ar gyfer Eth Huws ei hun.

Roedd y lle'n wag tan amser pwdin, a phawb yn gofidio am y gwestai arbennig. Ond wrth i'r treiffl siocled enfawr gael ei gario i'r ford, fe glywyd sŵn ffliperi gwlyb yn taro'r llawr. Agorwyd drws y patio a daeth Eth i'r golwg.

'**Ybl ybl ybl**,' meddai. Roedd hi wedi anghofio tynnu'i snorcel, ond roedd pawb yn hollol siŵr ei bod hi'n dweud, 'Mae'n ddrwg gen i am fod mor hwyr. Ro'n i'n ymarfer mor galed nes i mi anghofio faint o'r gloch oedd hi.'

Eisteddodd Eth yn y sedd wag, a gosodwyd powlenaid o dreiffl o'i blaen. Oni bai i Lotto Sblashi, oedd yn eistedd nesaf ati, estyn llwy iddi, byddai Eth wedi plymio'i hwyneb yn syth i mewn i'r treiffl siocled gan  feddwl mai mwd y gors oedd e. O'r diwedd, ar y funud olaf, fe dynnodd ei snorcel a gwenu, ac roedd hynny'n fwy na digon i blesio pawb oedd yn bresennol. Wedi'r cyfan, roedden nhw o'r diwedd yn edrych ar y person oedd yn mynd i ennill Cwpan Cors-snorclo'r Byd.

Ffaith!

Ond, wrth gwrs, does dim angen dweud hynny wrthot ti.

Rwyt ti'n cofio Eth yn taranu ar draws y gors, yn dwyt?

Rwyt ti'n ei chofio'n torri deg record byd?

Rwyt ti'n cofio Cymru gyfan yn bloeddio 'Eth! Eth! Eth!' wrth iddi dderbyn y Cwpan o law Lotto Sblashi.

Ac rwyt ti'n cofio dy fod ti dy hun wedi rhedeg ar ras i ymuno â'r clwb cors-snorclo agosa. Yn dwyt?

Tawel Ffos

Erbyn hyn, mae tri mis wedi mynd heibio ers i Eth gyflawni'i champ anhygoel. Yn ystod y cyfnod hwnnw mae penillion Rhoj wedi atseinio o gwmpas y byd. On'd ydyn nhw'n benillion gwych, yn llawn o eiriau clyfar fel 'serendipedd', 'disglairlathr', 'pellwelediad' ac ati? **Mmmmm!** Hyfryd! Dwi'n siŵr dy fod ti eisoes wedi'u dysgu ar dy gof.

Ond yn ddistaw bach, ar ôl eu clywed filoedd o weithiau, mae Fel a Twmcyn wedi cael llond bol arnyn nhw. Dydyn nhw ddim yn cwyno chwaith, achos mi allai pethau fod yn waeth o lawer.

Beth petai Tal Slip wedi llwyddo i gadw Rhoj yn garcharor? Beth petai Tal wedi camu ar y llwyfan o flaen camerâu'r byd ac wedi adrodd pennill am gwdihŵ'n dweud 'Tw-wit Tw-pw'?

Meddylia!

Na, iych! Paid â meddwl. Mae'n rhy erchyll.

Wyt ti wedi darllen?

Y nesaf yn y gyfres . . .